中国への断交宣言

変見自在セレクション

髙山正之

新潮社

はじめに

習近平は国家主席として初登場した8年前の全人代で、初めて「偉大なる中華民族の復興」を語った。

「中華料理」とか「漢民族」とかはよく耳にしたが、それを併せた「中華民族」は初めて聞いた。それが長い歴史と文化を紡いできたと続けられても何かしっくりこなかった。

習近平は次の全人代で「中華民族」が誰なのか、漢民族の間違いなのか説明すると思ったら、何も言わなかった。

仮にそれが漢民族のつもりならそれは正しくないと歴史は言うだろう。なぜなら、いわゆる中原で文化の華を咲かせたのは西戎《せいじゅう》とか鮮卑《せんぴ》、あるいは満洲族で、漢民族はずっとそういう夷狄《いてき》の下で奴隷扱いされていた。復興するような偉大な歴史も文化も持たない。

漢民族は僅かに漢と宋と明を作っただけで、生んだ文化は纏足《てんそく》とか宦官《かんがん》とか碌《ろく》でもないものばかり。もしかしたら華麗な文化を生んだ外来民族も含め、「漢民族＋夷狄＝中華民族」と偽りたかったのかもしれない。

実際、最近はやたら「漢民族はもう存在しない」「多くの民族と混血してしまった」風な言い方があちこちで囁《ささや》かれる。

そう言いながら、今の中共政権には、奴隷根性が沁《し》みついた漢民族特有の臭さがある。それは残忍さ、小狡《こずる》さに加え、身分の上下なく嘘《うそ》を好み、虚勢を張り、でも努力は惜しむという阿Q的精神構造だ。

その辺を習近平の口から聞きたかったが、彼はそれには触れず、代わりに言ったのが「これから毎年9月3日を抗日戦勝利の記念日にする」だった。

そして翌年9月3日には天安門前で抗日戦勝記念70周年の大軍事パレードをやった。習近平が「左手で敬礼」をやったから覚えている人も多いと思う。

しかし、栄光の中華民族のお祝いがなぜ対日勝利なのか、それもなぜ9月3日なのか首を捻《ひね》る。なぜなら日本が悪い白人と戦い「アジア諸国の解放に殉じ」（コーデル・ハル米国務長官）て、降伏調印したのは１９４５年9月2日、米戦艦ミズーリ号の甲板で、だったからだ。

ハリー・トルーマンはそれで毎年9月2日を「対日戦勝記念日（VJ Day）」として独立記念日と同じ国家的休日にした。もっとも彼がKKKに属し、原爆2発を落としたこともあって、トルーマンが死ぬと即廃止された。

それほど明確な日付なのになぜ習近平はわざわざ1日遅れの9月3日にしたのか。

実はプーチンも対日戦勝記念日を9月3日にしたが、彼には理由がある。当時、スターリンは日本の敗戦を見込んで日ソ不可侵条約を破棄して満洲に攻め込んだ。さらにポツダム宣言受諾後の8月18日には数十隻の軍艦と輸送船で日本領の千島列島占領を開始、北海道も取る気で南下を始めた。

薄汚い火事場泥棒的侵略行為だが、悪いことはできない。最初に占守島《しゅむしゅ》に取りついたところで武装解除したはずの日本軍に反撃され、海岸線はソ連兵の死体で埋まった。それはDデイのオマハビーチを超えたと言われる。

それで日程が狂い、降伏調印の9月2日には北海道どころか国後《くなしり》択捉《えとろふ》にやっと着いたくらい。今、北方四島はオレのモノというとき9月2日降伏調印では歯舞色丹《はぼまいしこたん》領有の根拠を欠く。だから1日ずらした。

「プーチンは日付で誤魔化すせこい奴」というわけだ。

では習近平にはどんな不都合があるのか。実は何もない。9月2日に盛大にやっていいのだが、日付変更線がある。中国は欧米より1日早く勝利を祝う形になる。

中国はアジア解放を言う日本を見捨てて米国に転び、中国兵は米国の手先として日本軍と戦った。たかが傭兵の身分でご主人様より先に対日戦勝を祝う。御大層なもんだと欧米に言われないか。

そういう「ご主人様の機嫌を窺《うかが》う」奴隷根性が1日遅れの戦勝記念日を選ばせた。

加えてもう一つ。欧米のご主人様にあまり抵抗したくないのはスティムソン・ドクトリンがあるからだ。

中国人、つまり漢民族の国は昔から万里の長城を境にした。外は夷狄の地だった。その夷狄の一つ満洲族が長城の内外をすべて領土にする清《しん》王朝を建てた。漢民族はそのときも家奴(奴隷)で、満洲族は漢人との結婚も認めず、漢人の女は後宮(ハーレム)にも入れなかった。

その清が滅んだあと清の版図は崩れ、漢民族も久しぶりに自分の国を持てた。

そんな時期、日本を潰したい米国が出てきて「満洲は清の後継国家、中華民国のモノ」というスティムソン・ドクトリンを出した。

日本はその結果、侵略国家にされ、日本が後見した満洲人の政権、満洲国は傀儡政権に落とされた。その一方で、漢民族は棚ぼたで長城の内外を領有する大国家に成り上がった。蔣介石《しょうかいせき》が米国に軍隊を差し出したのはこの棚ぼたを守るためでもあった。

日本を孤立させるための一時の便法は戦後も生き残り、アジア地図を大幅に書き換え、目下の中共政権はエベレストまで領土に取り込む大国家に変容した。

習近平は大国の主席として威張りたい。でもあのスティムソン・ドクトリンのまやかしを再吟味されたくはない。だから日本は永遠に侵略国家のままにしたい。一方でウイグル大虐殺《ぎゃくさつ》が問題視されるのも困る。

品もモラルもない奴隷民族が大国として振舞う難しさ。過去を洗われたくないうしろめたさ。それが今の中国の大いなる業《ごう》になる。

そんな業付き中国がどこに行くのか。本書がその読み解きの参考になれば幸甚だ。

２０２１年11月

高山正之

中国への断交宣言　変見自在セレクション　目次

中国への断交宣言　変見自在セレクション

挿画　山田　紳

第一章　あの国のイヤーなルーツを探る

タイタニック沈没と中国人

タイタニック号は1912年4月、英国サザンプトンからニューヨークに向けて出航した。

豪華客船の処女航海にふさわしく天気もよく、海は穏やかだった。

しかし船自体の装備も乗員も、とてもそれにふさわしいものではなかった。

出航して5日目。氷山についての情報がもたらされたが、乗員はそれを無視し、見張り員は双眼鏡すら持っていなかった。

そしてその夜、乗員が肉眼で氷山を見つけたが、すべては遅すぎた。

タイタニックは右舷《うげん》船首部分を切り裂かれ、2時間半後に沈没した。

この船は人数分の救命ボートも持っていなかった。結局、2200人余の乗員乗客のうち救助されたのは706人だけだった。

杜撰《ずさん》が生んだ悲劇は多くのエピソードも残した。

一つはこの年に国際遭難信号として採用されたSOSが初めて使われた。

そしてそれをニューヨークでただ一人傍受したのがユダヤ系の通信士デビッド・サーノフだった。後に米三大ネットの一つNBCの生みの親となる人だ。

様々に語られるエピソードの中に思わぬ形で日本人も登場した。

救命ボートで脱出した英国人教師ローレンス・ビーズリーが「無理やりボートに乗ってきた嫌な日本人がいた」と語ったのだ。

この船にはたった一人の日本人乗客がいた。鉄道院官吏の細野正文で、鉄道事情を視察し米国経由で帰国する途次、たまたまこの船に乗り合わせていた。

日本の新聞がビーズリー証言を掲載すると、生還した細野のもとに「日本人の恥」と非難する手紙が全国から殺到し、彼は職も失った。しかし氏は一言の弁解もしないまま1939年に他界した。

その後、遺品の中から沈没騒ぎのさなかに氏がその仔細《しさい》を書き留めた記録が見つかる。それはタイタニックのレターヘッドつき便箋《びんせん》に書かれていた。

そこには「日本人の恥になるまじきと心がけ」る細野の心情と行動が綴られ、彼が生還できたのも「もう二人乗れる」という乗員の声に従って左舷ボートに乗り込めたからだとある。

記録はつい10年前に、タイタニック号の研究グループの目に留まり、細野は左舷「10番ボート」に乗ったことが確認された。

ビーズリーは右舷「13番ボート」に乗っていた。彼が見た「嫌な日本人」は実は出稼ぎの中国人だったことも突き止められた。

この話は97年に「TIME」誌が報じ、85年ぶりにたった一人の日本人、細野正文の汚名が雪《そそ》がれた。ちなみに彼の孫がYMOの細野晴臣《はるおみ》になる。

日本人の名誉に係わるこの事件には教訓がある。なぜ新聞はビーズリー証言を鵜呑《うの》みにしたかだ。

悲劇は英国の船と英国の乗員の不手際《ふてぎわ》に起因する。船には多くの外国人客も乗っていた。英国人は乗員を含めてまず子女を、次に外国人客を救命ボートに乗せるのが筋だろう。少なくとも日本人はそうする。

しかし五体満足壮健そのもののビーズリーはそうはしなかった。彼はさっさと救命ボートに乗り込み、後からきた外国人がどうのと偉そうに言う。

　このときはそれが中国人苦力だったから、そのひどさは想像もつくが、それでも彼は席を譲るべきだった。

　日本の新聞はそんな非道な英国人の言を頭から信じ、日本人を非難した。

　そのころは当事者もみな生きていた。新聞がその気で調べれば細野の汚名はすぐに雪がれたはずだ。85年も待つ必要はこれっぽっちもなかった。

　しかし当時の新聞を責められないのは、今の新聞も実は同じ過《あやま》ちを繰り返しているからだ。

　米議会の小委員会が「田中首相がロッキード社から賄賂《わいろ》を取った」と言うと、東京地検は「彼らは聖書に宣誓するから嘘《うそ》を言わない」と言って首相を逮捕した。

　新聞はそれを真に受けた。

　毎日新聞は戦後「百人斬《ぎ》りは与太でした」と告白したが、中国人の江沢民が「いや事実だ」と言い出すと自分の主張はさっさと捨てて「ハイ、その通りです」と江沢民如《ごと》きに媚《こ》びへつらう。

　東京高裁も最高裁も中国人がそう言うなら「それは事実だ」と、濡衣《ぬれぎぬ》を着せられ、処刑された向井敏明《としあき》、野田毅《つよし》両少尉の遺族の訴えを却下した。

細野正文は外国人、特に中国人が平気で嘘を言うということを身をもって伝えてくれた。それは今も変わらない真実だ。

（二〇〇六年七月六日号）

がさつな漢字文化

「高度の文明に触れたとき、人は驚き、焦《あせ》り、憧《あこが》れる。それが文明開化だ」と西尾《にしお》幹二《かんじ》は『国民の歴史』の中で書いている。

種子島《たねがしま》にポルトガル船がくると、日本人はすぐ鉄砲を自分のものにし、西洋に先んじて戦争のやり方まで変えた。

彼らが食べるパンもカステラもシャボンも学んで取り入れた。

カステラの命はバターだが、日本にはそれがなかった。それで日本人は水飴《みずあめ》であたかもバターを使ったかのようなしっとりした味わいを生み出した。

ルイス・フロイスの報告には「高度の文明に触れた日本人」が目を輝かす様が頻繁に出てくる。

明治維新の日本人もそうだった。日本政府は金に糸目をつけずにお雇い外国人を入れ、鉄道や造船、電気などの技術を修得し自分たちのものにしていった。

明治5年のお雇い外国人の総数は214人で、ビール醸造屋のトーマス・アンチセルや下水道掘りのリチャード・ブラントンなどの名もある。

高島嘉右衛門《かえもん》も私財を投じて外国人を雇い、横浜にガス灯を点《とも》して今の東京ガスの礎《いしずえ》をつくった。「高度の文明」を見ると矢も楯《たて》もたまらなくなる日本人の姿がそこにある。

そういう日本人が初めて漢字に接触したのは少なくとも今から2000年前。後漢書東夷《とうい》伝《でん》は漢字で書いた金印「倭奴国王《わのなのこくおう》印」を日本人に贈ったと伝える。

へえ、これが文字か。便利なものだと日本人は当然思っただろう。

種子島や明治維新の日本人像から考えれば「文字文明」を見てすぐに飛びついてもおかしくはなかった。

ところが日本人が漢字を使い出すのはそれから500年も先のことになる。

それも中国語の文字としてではなく日本語の音を示す記号として、つまり万葉仮名として使い出した。

柿本人麻呂《かきのもとのひとまろ》のうたは「足日木乃山鳥之尾乃四垂尾乃《あしひきのやまどりのおのしだりおの》」という風に書かれた。

しかしなぜ漢字文化に限って日本人はかくも反応が鈍く、時間がかかったのか。そのヒントとして歴史家の岡田英弘《ひでひろ》の見解が前述の『国民の歴史』の中で述べられている。即《すなわ》ち「漢字には現在過去の時制も格変化もない。品詞も文法もない」。

まさに英語の単語を並べるだけのピジン・イングリッシュと同じ。意味を通じ合わせるには便利だが「独創的な意見や解釈を述べるとか情感を表現するとかはできない」。つまり漢字文化はちっとも「高度の文明」ではなく、それを採用すれば「あし引きの山鳥の尾の……」などの情感を醸《かも》す表現は金輪際できなくなる。

ウーロン茶のテレビCMで中国人のおっさんが中国語の歌をがなって焼売《シューマイ》だかにかぶりつくというのがある。

あれを見ていると古人は漢字文化に飛びつけば日本人がみなあんな風にがさつになる、それで日本語の情感を生かせる万葉仮名を思いつくまで採用を待ったのではないかと思えてくる。

その選択が正しかったと思わせる一文を中国人哲学者の石平《せきへい》が著書『私は「毛主席の小戦士」だった』で書いている。

彼が同郷の女子留学生の別れ話の相談に乗ってやったときのこと。

会話は当然中国語だったが、彼女が別れた男について語った言葉が「我覚得他還是一個很やさしい的人」だった。意味は『彼はやっぱりやさしい人だと思う』で、「やさしい」だけ日本語が遣われた。

石平も「我也認為他是個很やさしい的人」とやはり日本語をそのまま遣った。なぜか。石平は「中国語には日本語の『やさしい』を表現する言葉が最初からなかったことに気づいた」と続ける。彼はためしに中国の一流学者グループが編纂《へんさん》した『日中辞典』で「やさしい」を引いてみる。

するとそこには10個以上の単語「すなわち善良で慈悲で懇切で温情で温和で……」が並べられている。

日本語とはそれほど奥行きと情感のある言葉ということだろう。先人が朝鮮やベトナムがそうしたように漢字文化に飛びつかなくて本当によかった。

そうしたら先日の朝日新聞の莫邦富《モーバンフ》のコラムが「中国語を話せますか?」の見出しで中国人に日本語を教える企業幹部を批判し、中国語こそ国際語だ、みんな話せるように努力すべきだとか書いていていた。

情感のいらないがさつな人たちにはそれでいいかもしれない。

（二〇〇七年二月十五日号）

とにかく物真似が大好き

温家宝はいったい何しに日本にやってきたのか。それを考えるために中国に行ってきた。

中国は日本を真似《まね》て5月の第1週を連休にした。中国共産党の聖地、延安を除けばどの街も大混雑だった。

北京《ペキン》近郊にある偽《にせ》ディズニーランド石景山もまた混雑を極めた。ミッキーマウスや白雪姫に交じってキティちゃんやドラえもんまで偽もの大集合が笑えるが、それが実は温家宝の訪日を解くカギになった。

つまり彼を含めて今の中国人には独創性はない。ただひたすら真似をするだけだ。

その視点で温家宝の旅を振り返ってみると、彼はまずジョギングして市井《しせい》の日本人と交歓して見せた。

あれは間違いなくクリントンの真似だ。クリントンは徹底して日本を無視した。「Japan Nothing」なんて評されたが、彼は無視するだけでなく米政府機関を使って三菱《みつびし》自動車や旭《あさひ》光学など日本企業を狙《ねら》い撃ちする訴訟を起こし、大金を強請《ゆす》りとった。白人の皮をかぶった中国人だった。

悪評の中、来日したクリントンはジョギングして愛嬌《あいきょう》を振り撒《ま》いた。少しは印象を良くしようとした。

クリントン以上に日本政府や企業を食い物にしてきた温家宝はそれに倣《なら》って印象の改善に努めたつもりだったのだろう。

彼は野球もやった。これは小泉前首相とブッシュの親密さを示す一コマを想起してのことだ。ボールを投げれば好感度が上がるはずだと。

これらのパフォーマンスは実は半分以上自国向けだった。中国のテレビ局がその模様を繰り返し流し「お前ら人民は知らないだろうが日本と中国は、本当は仲良しなのだ」と。

そして止《とど》めが温家宝の国会スピーチのノーカット生中継だった。

彼は「日本の侵略」に言及した。これはその虚構が彼らの存在理由だから外しようがない。日本人に「お早う」というぐらいの気分なのだ。

問題はそれに続く「中国近代化の過程で日本から受けた支援と援助に感謝します」というくだりだ。

党の上の方の人間が日本から援助があったことを正式に認め、お礼を言った。「中国近代化の過程」には孫文も入る。孫文が日本人から金を借り倒して今の中国ができたことを一部は知っていたが、今までは口にできなかった。

いま中国で鴨《かも》の嘴《くちばし》をした新幹線もどきも走っている。日本に留学生を装ってピッキングや強盗にやってくる何万もの中国人はそれが日本のデザインと技術だと知っているが、これも中国本土では口にはできなかった。

それを温家宝が何の編集もない生中継で語った。言葉の裏には「もう反日で儲《もう》けた江沢民の時代は終わった。反日デモは反逆罪にする」という宣言があった。

実際、いま反日デモをやられたら北京五輪の施設建設から接客のノウハウまで教えている日本人がみな帰ってしまう。中国人にそれを補う能力はないから北京五輪は空中分解する。

目先だけでなく反日はいまの中国社会に大きなひずみを生んでいる。

反日の発信地と言えば南京《なんきん》だが、いい気になって30万虐殺《ぎゃくさつ》の嘘を囃《はや》していたら進出日本企業はゼロ。街は寂れ切ってしまった。

対照的に「無錫《むしゃく》旅情」の無錫は日本企業の大量進出で見違えるほど豊かな街になった。

もう反日の旗を降ろしたいと泣くのは満洲の瀋陽《しんよう》も同じだ。ここも江沢民が館名を揮《き》毫《ごう》した満洲事変記念館があって、ために日本企業は進出なし。代わりに大連が大繁栄している。

もはや反日・江沢民の時代は終わったというメッセージはその南京からも発せられている。あの虐殺記念館が改修につき「休館中」なのだ。

実は2年前、盧溝橋《ろこうきょう》事件70周年を前にその橋のたもとの抗日記念館が「改修のため休館」した。

そして記念日当日、政府主催の行事があって、それで終わり。反日ムードを盛り上げようともしなかった。

南京も同じように休館を続けて、70周年当日に形だけの政府行事を行い、それで済ますと思われる。

温家宝の訪日は反日との決別を伝え、今後のご愛顧を乞《こ》いに来たものだ。

そのもう一つの証《あかし》がある。中国にいたとき、加藤紘一《こういち》と山崎拓《やまさきたく》がやってきた。反日の日本分子だが、その訪中を伝える人民日報の記事は最終ページの最下段のベタ記事だった。

時代を見失った二人にはふさわしい場所だ。

（二〇〇七年五月二十四日号）

中国人なみにはなりたくない

毛沢東《もうたくとう》は文革の名で林彪《りんぴょう》など幹部から庶民に至るまで2000万人を殺した。ただ殺すだけでなく彼らの祖先の墓を暴《あば》き、鞭屍《べんし》の辱《はずかし》めを加えたので中国から「墓が消えてしまった」と北海閑人《ほっかいかんじん》の『中国がひた隠す毛沢東の真実』にある。

毛はこのとき日本の新聞も粛清した。彼を賛美し続ける朝日新聞を除いて他紙の支局はすべて閉鎖し、特派員を追放したのだ。

その後、毎日や日経は媚びと反省のポーズをとり支局再開を許されたが、産経だけは服従を拒否して中国の醜さを報道し続けた。

北京政府は腹立たしく思ったが、だからといっていつまでも産経を締め出していれば共産党の狭量《きょうりょう》さ、いかがわしさを世界に宣伝するようなものだ。

それで追放から30年後の1998年に北京支局の再開設を認めた。産経は台北に支局を出していたが、それは敢《あ》えて問わなかった。それが中国人の浅慮だった。

朝日は台湾を無視することが北京への忠誠になると思っていたから、この対応にびっくりする。台北に支局を出しても文句を言われないのかと。

かくて朝日を筆頭に各紙はおずおずと台北に支局を出した。自由・台湾の動向は重要だ。人々の性格もいいし、何より化学調味料まみれではない本物の中華料理も楽しめた。

そしてテレビを含め全紙が出揃《でそろ》ったところであの台湾大地震が起きた。死者は2400余人、道路は寸断され倒壊家屋も9000棟を超えた。

日本のテレビや新聞は連日この被害を伝え、政府はすぐに救援隊を派遣した。義捐金《ぎえんきん》は山をなし、国士舘大の学生や徳洲会の医師らが手弁当で救援活動に出かけていった。

台湾はウチのものだと言い張っていた北京の出足は鈍く、朝日が紙面でそれを取り繕うのに苦労をしていた。久しぶりに見る日本に台湾の人々は感激した。

もともと日本に親近感をもち、若者には「哈日族《ハーリー》」がいて、高砂族など「原住民」は今も日本語を日常語にしている。

そういうお国柄が刺激された。震災の3か月後、台湾政府はほぼフランスのTGVと決めていた台北―高雄間の高速鉄道を日本の新幹線に逆転決定した。

日本人も現場を踏んで多くを学んだ。「毛沢東に敗れた蔣介石《しょうかいせき》が根拠地にした島」ほどのイメージだったのが、実は中国人の蔣介石に占領され、酷《ひど》い目に遭わされ、今やっと「中国のくびきを振り切って自立しようとしている台湾人の国」だと判《わか》ってきた。

蔣介石と同じ大陸から逃げ込んできた連戦ら外省人がさかんに北京に行き、敵のはずの共産党政権と肩を組んで「台湾は中国の一部」を叫ぶのは、領土欲に駆られる侵略民族・中国人の素顔にほかならない。

その中国政府は日本人の中に台湾を思う気持ちが広がるのを見て口惜しがった。産経の支局開設をなぜもう2年待てなかったか、と。

そうすれば地震が起きたときあんなにたくさんの日本のテレビや新聞が勢揃いはしなかったろうに。

そして洪水のような報道もなく日台間の距離も縮まらなかっただろうに。

不幸の中にも、日本にも台湾にも収穫のあった地震だったが、その地震報道の映像に、倒壊したビルの柱の中に空き缶やドラム缶が詰め込まれていた情景があった。

あれでセメントや鉄筋をけちったのか。ひどい手抜き工事だったが、それについて李《り》登輝《とうき》が「あれが蔣介石の連れてきた中国人（外省人）のやり口だ。日本人から学んだ台湾人にはない発想だ」と話していた。

その台湾のＴＶ局が今回の姉歯《あねは》事件を「日本の豆腐摩天楼」と名づけ「日本でも手抜き工事があった」と驚いて報道していた。

業者も設計士もモラルを失い、民間検査機関も機能しない無責任さは台湾にきた蔣介石ら中国人と変わらない。

菅直人がテレビで民間検査機関の堕落を衝《つ》いて「何でも民営化はよくない。民よりはカンがいい。カンでなくては」と官と菅を引っ掛けて売り込んでいた。

しかし関係者に言わせれば、かつては設計や構造などにインチキする者はいなかった。だから無能な官の検査でもよかった。それが民営化されたが、検査官は無能な官がそのまま天下っただけで実態は変わっていない。

要は官とか民ではなくインチキをしなかった日本人が蔣介石なみになってきたことが問題なのだ。

新しい年、李登輝氏の言う日本人がどんなだったか思い出す年にしたい。

（二〇〇六年一月五・十二日号）

マンシューの真実

満洲に行ってきた。

このマンシューという響きがいい。古い人はそれで「夕日と拳銃《けんじゅう》」の伊達《だて》麟之介《りんのすけ》を、やや古い人は岡本喜八の「独立愚連隊」を思い出す。あの映画では佐藤允《まこと》がよかった。八路《パーロ》の大将フランキー堺《さかい》も日本人が知っている中国人らしいキャラを出していた。

もっとも現実の八路は共産党だからやることは残虐を極めた。国民政府軍の残党が奉《ほう》天《てん》（現在の遼寧省瀋陽）に逃げ込むと糧道を断って在留邦人を含む市民の多くを飢え死にさせたし、毛沢東に靡《なび》かない村があると「村人に自分の墓穴を掘らせ一人ずつ生きたままその穴に埋めた」とカネミ倉庫会長、加藤三之輔《さんのすけ》が体験を書いている。

いずれにせよ日本人にとっては「満洲」は遠い昔話になったが、もっと昔に遡《さかのぼ》ると、ここは漢民族を征服し清《しん》王朝を建てた女真（満洲）族の故郷になる。

清王朝は北京の故宮に移るまで現在の瀋陽（奉天）に都した。王宮はほぼ原形をとどめ、その一画には二代目ホンタイジの後宮もそのまま残されている。

面白いことに5棟の後宮に入っていた五人の夫人は同族の満洲女性ではなくモンゴルの女性たちだった。

漢民族国家を滅ぼすには少数の満洲民族だけでは足りない。それでモンゴルと姻戚《いんせき》関係をもち、その連合軍で中国を負かした。

この姻戚関係はその後も続き、康熙《こうき》帝も乾隆《けんりゅう》帝もその後宮に多くのモンゴル女性を入れている。

清は独自の言語と文字をもつ。北京の故宮を覗《のぞ》くと「天安門」とある右側にごちょごちょと縦書きの文字が書かれている。あれが満洲文字だ。

清は漢民族には同化しなかった。同化どころか、満洲人の血が汚れるからと漢民族との通婚も認めなかった。もちろん、ハーレムにも漢人の女は入れなかった。そして征服王朝として漢民族に自分たちの服装や習俗を強制した。

漢民族には女は纏足《てんそく》、男は髪や髭《ひげ》を神聖視して切らずに伸ばす風習があった。伸ばした髪は頭の上で丸めて袋をかぶせる。白髪三丈くらいはあったらしい。

そういう漢民族に清はその神聖な髪の前半分を剃《そ》り上げ、後半分の髪を束ねさせる満人の習俗、辮髪《べんぱつ》を強いた。服もだらしない着物と帯をやめさせ、ボタンどめの満洲服に着替えさせた。世に言うチャイナドレスもそのひとつだ。

清はまた漢民族が山海関を越えて満洲に入ることも厳しく禁じた。

漢民族はそういう様々の屈辱を香妃《シャンフェイ》伝説などで紛らせた。香妃はウイグル生まれの絶世の美女で、その体からは砂棗《すなつめ》に似た芳香がたったという。香妃と字《あざな》されるゆえんだ。その彼女を乾隆帝が見初めるが、床入りを前に自殺して果てるという風説だ。満洲人の皇帝をそうやって軽んじることで中国人は憂《う》さを晴らしていた。ちなみに六本木に彼女の名を冠した中華料理店がある。

そういう陰口が効を奏したか、やがて清は傾く。英仏に負け、日本に負け、満洲もロシアに蹂躙《じゅうりん》され、さらには日露戦争の戦場にもされた。

そんなこんなで満洲はもはや聖域ではなくなり、中国人もどやどやと入り込んできた。張作霖《ちょうさくりん》もやってきて満洲に自分の王国まで建設した。

そして止めが辛亥《しんがい》革命だった。皇帝溥儀《ふぎ》はこのとき満洲に戻ればよかった。が、彼は皇帝の生活を保障するという詐欺師、孫文らの言葉を信じて北京に残った。

それは漢族中国人の報復の手始めだった。彼らは間もなく約束を反故《ほご》にし満洲の領土もすべて中国に併合してしまう。

一時期、風向きが変わったこともあった。日本がずるい漢人を抑え、満洲国をつくって溥儀を皇帝に据えてくれた。しかしリットンという歴史も民族の機微も分からない男が満洲民族の土地を中国領と認定してしまった。

今、満洲民族の人口は1000万弱という。その一部はかつての満人の都、瀋陽に住むが、大半は故郷を追われて遠く新疆《しんきょう》ウイグル自治区に住まわせられる。

旧ソ連がウクライナのユダヤ人をカザフに移住させたのと同じ狙いだ。

今、満洲語を話せるのは10人だけ。文字を書く者はもっと少ない。

かつて中国に屈辱を与えた異民族、モンゴルと満洲への報復作業はほぼ終わった。二つの国の人口も文化も言語も回復不能に陥《おとしい》れた。報復をし残しているのは日本だけになった。

そんな中国にべったりの河野洋平がもし首相だったら、洋平は靖国《やすくに》にも行かないし「日中の首脳の往来は進み、北朝鮮問題にも打てる手だてはいっぱい」（2004年2月

29日）と朝日新聞の論説主幹が書いていた。

こういう薄儀みたいな無知蒙昧《もうまい》の輩《やから》が国を誤らせる。

（二〇〇四年四月十五日号）

日中友好はいらない

南京《なんきん》郊外に雨花台《うかだい》という小高い丘陵がある。日中戦争のときには、南京に迫る日本軍を食い止めるべく蔣介石軍がこの丘に多くの保塁やトーチカを築いた。

日本側は第六師団が中国人としては珍しく抵抗を続ける敵をてこずりながらも沈黙させたが、残敵処理に行った兵士たちは思わず眉をひそめた。

どのトーチカも出入り口が外から封鎖され、中に閉じ込められた中国人兵士の足にも頑丈な鎖が巻きつけられていた。

逃げようにも逃げ出せない中で彼らは、だから死に物狂いで抵抗したわけだ。

これに続く南京攻略戦でも中国軍は退路に当たる城門の上に機関銃を据え、逃げ出そうとする仲間に容赦なく銃弾の雨を降らせた。その間に蔣介石は重慶まで逃げ落ち、南京守備の指揮官唐生智《とうせいち》も兵を残して敵前逃亡している。

信頼関係などこれっぽっちもない中国軍のおぞましい姿だが、そうやって自分たちの手で築いた屍《しかばね》の山を「日本軍がやった」と江沢民は言う。この人は閻魔《えんま》様が怖くないのだろうか。

さて雨花台だが、ここはいわば中国の鈴ヶ森で、明のころからの知られた処刑場だった。

ここの露と消えた中には方孝孺《ほうこうじゅ》がいる。彼は明王三代目を武力で襲名した永楽帝を正統の皇帝と認めなかった。後継者同士が殺し合う国柄だというのに。

永楽帝は彼の目の前で父方の家族や係累《けいるい》800余人を殺して翻意を迫る。しかし彼は拒む。帝は次に彼の母方の係累をすべて処刑し、さらに妻の親族や彼の門弟、知己に至るまで殺した。最後に彼をここで処刑するときには彼を知る者は一人も残っていなかった。

中国では涙なくして語れない忠臣の物語とされているが、関係者にしてみれば単に傍《はた》迷惑な頑固者という見方もできる。

その雨花台で実は日本人も処刑されている。向井敏明少尉、野田毅少尉、そして陸士

37期の田中軍吉大尉の三人だ。

二人の少尉は東京日日新聞、今の毎日新聞が「百人斬りを競った」と報じた当人ということになる。

上海から南京までのほぼ2週間の進撃中にどっちが早く百人の敵兵を斬るか。向井少尉が関孫六《せきのまごろく》で、野田少尉も無銘ながら伝家の名刀で競ったというストーリーで、毎日新聞の浅海一男《かずお》記者がそれを報じている。

1回目の記事は無錫から常州までの3日間の戦闘で向井少尉が56人を、野田少尉が25人を斬り、関孫六は「刃こぼれは一つしかない」と自慢する話。

2回目は4日後の丹陽発でそれぞれ86人、65人に記録を伸ばす。

3回目はほんの10行の記事で数字だけ。そして最終回は南京陥落の日で、結果は106人と105人。向井少尉の関孫六も「敵兵を鉄兜《かぶと》もろとも唐竹割り」して刃こぼれができた話をつけて、勝負が引き分けに終わったと報じた。

この記事が戦後、問題になった。復員していた二人はBC級裁判にかけられたが、当時は砲兵小隊長と大隊副長で、敵兵と切り結ぶ立場になく、しかも一人は負傷して戦線を離れていたことも分かって釈放された。

毎日の浅海記者が景気付けに書いたヨタ記事だったわけで、同紙が後に出版した『昭和史全記録』には「百人斬りは事実無根」だと訂正もしている。

ところが釈放間もなく二人は再召喚され、南京に送られて当地の軍事法廷で死刑が宣告された。

法廷には三人目の田中大尉もいた。山中峯太郎《みねたろう》の作品『皇兵』の中の「三百人を斬った田中隊長の刀」という絵解きを根拠に彼も死刑判決が下された。二人の少尉は存命していた浅海に「嘘だと認めて」と頼んだが、浅海は中国に遠慮して嘘をつき続けた。

向井少尉の遺書と最期《さいご》の写真がある。

「我が死をもって遺恨を流し日華親善の礎となれば幸いです」

写真の雨花台は今の緑重々と違い寒々としたガレ場だった。処刑を前に前手錠の不自由な手を挙げて「日中友好万歳」を三唱する姿がとどめられている。

今その「百人斬り」が裁判にかかっている。被告はヨタ記事を載せた毎日新聞と反日・中国の好みに合わせて残虐日本軍を連載「中国の旅」の中でどぎつく脚色、執筆した朝日新聞と本多勝一だ。

しかし毎日は一旦《いったん》認めた「事実無根」を撤回し「記事は真実」と主張した。自社の無責任な記事で二人が殺されたことに反省はない。毎日とはそんな新聞だ。

朝日の本多も実に見苦しい。「そういう過去の残虐を認めてこそ日中友好」という。雨花台にこだましたのと同じ言葉だが、こちらは実にむなしく空々しい。

（二〇〇四年五月六・十三日号）

「万里の長城」が意味するもの

朝日新聞の天声人語がチベット問題について中国擁護論を書いていた。「万里の長城は宇宙から肉眼で見える」とまず中国賛歌から始まったのはこの新聞だからしょうがないとして、それに続く「かの地に興《おこ》った国々は長い間、外敵の侵入に神経を尖《とが》らせてきた」はちょっと判りづらいのではないか。

言いたいことは分かる。「かの地」とは万里の長城の内側という意味だろう。そこに「興った国々」とはだから漢や宋、明を意味する。それらの漢民族王朝は「外敵の侵入」に脅《おびや》かされた。だから国を守るために万里の長城を築いたということだ。

実際、それは大いなる脅威だったことは歴史が示している。

例えば前漢の元帝の時代には匈奴《きょうど》が侵略を繰り返し、嫌なら漢族の女を差し出せと要求してきた。

元帝は後宮の女を画家の毛延寿に描かせていたからその中で一番の醜女《しこめ》を選んで頭目に贈ることにした。

旅立ちの朝、別れの拝謁《はいえつ》に現れたのは絶世の美女、王昭君だった。彼女は毛延寿に賄賂を贈らず、ために毛は彼女を醜く描いたのだ。

臍《ほぞ》をかむ元帝。腹立ち紛れに毛を処刑したものの、

「今日　漢宮の人
明朝　胡地《こち》の妾《しょう》」（李白《りはく》）

は避けられなかった。

漢の宮廷にいた美女が明日は夷狄《いてき》の慰みものになるほどの意味だ。

同じような話は唐の太宗《たいそう》の時代にもあった。吐蕃（チベット）が四川《しせん》まで侵攻し、和睦《わぼく》したいなら太宗の娘を遣《よこ》せと迫った。

かくて文成公主《ぶんせいこうしゅ》がチベット王の妻となる。ただ彼女は大切にされ、今に残るポタラ宮が彼女のために造営されている。

万里の長城はそういう外敵に備えて秦《しん》以降、漢や唐が造営し、補強してきたが、それ

でも夷狄の侵攻を一度たりとも食い止めたことはなかった。

英語で「Chinese Wall」といえば無用の長物、見掛け倒しほどの意になる。

この無用の長物を明が最後に大改修するが、その末期、最も力を入れた北京北方の長城が破られる。

今度の外敵は満洲族でさっさと長城の内側を占領してしまった。

これが清王朝だ。彼らは征服した漢民族に満洲風の習俗を強制した。

漢民族には民族の伝統がある。白髪三千丈の言葉が示すように髪を神聖視してやたらに切らない。伸びた髪は頭の天辺《てっぺん》にまとめて袋をかぶせた。

髪を神聖とするから今も春節には縁起の悪い床屋は店を閉めるほどだ。

そんな漢族に清は前頭部を剃り上げて後ろ髪を三つ編みにするみっともない辮髪を強いた。漢族は嫌がるが、康熙帝は違反者をどしどし死刑にした。

人が嫌がることをやらせるのが「支配」だ。その意味で清は最後まで漢族の支配者だった。

清はウイグル（回族の地）もチベットも版図に収めた。モンゴルとは連合関係で皇帝の側室の半分はモンゴル女性が入っていた。だからモンゴルも清の版図に入っていたといえる。

かくも強大な清の支配から漢民族が脱することができたのは、日本がその清を戦争で倒し、さらに孫文ら漢民族が植民地支配から独立するのを支援してやったからだ。

しかし、この孫文というのが食わせ者だった。

日本からの支援や借金を踏み倒したくらいは見逃してやるとしても、許せないのは彼ら漢民族が清王朝の正統な後継者であり、だから満洲人の故郷、満洲もモンゴル、チベット、ウイグルまで広がる清の版図もそっくりそのまま俺たちのものだと言い出したことだ。

英国の植民地インドが独立して「人口の多さでインドこそ大英帝国の正統な後継者だ。宗主国英国もマレーもビルマも俺のものだ」というのと同じことだ。

何を戯言《たわごと》を、で終わる話が、時代が悪かった。

欧米は日本によって植民地帝国主義が崩壊するのを恐れていた。で、中国が反日に寝返る条件で孫文の戯言を承認してやった。

「満洲は中国のものだ」「だから日本は不戦条約に反して中国の領土を侵害した」と言い出した米国務長官スティムソンのいわゆるスティムソン・ドクトリンがそれだ。

そしてその嘘を踏まえたリットン調査団だ。これは旧植民地の中国に宗主国・清の版図の継承権を認め、さらには宗主国の領土満洲も中国のものだと公式に認めたのだ。

いま中国はチベットも、ウイグルも「歴史的に我が国固有の領土だ」という。よく言う。

腰巾着《こしぎんちゃく》の朝日新聞はその嘘が分かっているから「かの地」とかぼやかして書く。

「日本人は歴史を直視しない」とこの新聞はよく言う。よく言う。

（二〇〇八年四月二十四日号）

毛沢東の系譜

湖南省の長沙《ちょうさ》から少し南に下ったところに毛沢東の生家がある。

家の構えは大きく、前庭には池が二つもある。

この「二つ池」というのが風水では大いに意味があって、彼が天下を取れたのもそのおかげだとされる。

それがホントならこの国の民にはまさに災いの池ということになる。

生家には13の部屋があり、その筋によれば一つの村ぐらい仕切った富農の館《やかた》の造りだとか。その大きさなら小作人や奴婢《ぬひ》の懲罰牢《ちょうばつろう》も当然あったはずだ。

そのころの毛沢東は、それこそどぶ板にも嫌われる坊ちゃんだったという話もある。

抵抗できない小作人や奴婢をいたぶって楽しむ。そんな「子供時代」が彼の言行の端々から容易に想像できる。

例えば人民公社化がうまくいかなかったときの彼の科白《せりふ》だ。「農民は奴隷だから殴りつけ虐待し食べ物を減らすと脅して働かせろ」（ユン・チアン『マオ』）。それでも成果が上がらず、餓死者が村々に満ちると彼は「死は結構なことだ。土地が肥える」（同）と死体を田や畑に肥料として埋めるよう指示している。

何千万もの死者が出れば人心は毛を去って優しい劉少奇《りゅうしょうき》に移って行く。毛は嫉妬《しっと》に狂い、劉少奇の引きずり落としを画策する。あの文化大革命である。毛は中学生、高校生をけしかけ、毛の敵には略奪も殺人もお構いなし、そのためなら国中どこに行こうと汽車も旅館も食堂もタダにした。

かくて紅衛兵はイナゴの如く街々を荒らし、盧溝橋の欄干から旅順の東鶏冠山に建つコンドラチェンコ少将の慰霊碑まで何もかもぶち壊していった。

その混乱の中で劉少奇は失脚し、2年間の拷問の末に殺された。

毛の息子は朝鮮戦争で戦死している。司令官は彭徳懐《ほうとくかい》だった。毛は紅衛兵に彭をいたぶり殺させ、その恨みも晴らした。

同じく嫌っていた羅瑞卿《らずいきょう》も牢につなぎ、治療と称して足を切り落とした。鄧小平《とうしょうへい》も島流しにし、毛の意趣返しは終わった。

そうなると紅衛兵は不要になる。毛は彼らに「知識青年」の称号を与えて「今度は農村に下って農民から学べ」と命じた。

約1600万人の紅衛兵が僻地《へきち》に送られ「農民戸籍」に編入された。もう故郷にも戻れない。まさに「僻地への流刑《るけい》」(北海閑人『中国がひた隠す毛沢東の真実』)だった。

大方は今も帰れないままだが、例外はある。

一つは雲南に下放されたグループで、中越紛争のおりに暴動を起こしかねなくなって、それで特別に帰郷が許された。

二つ目は流刑を嫌って香港《ホンコン》に脱出したグループだが、取り柄といったら暴行に略奪だけ。結局、それを生かして国際組織暴力団「大圏」を構成した。

彼らについて米上院政府活動委員会は「アジアから入るヘロインを仕切る組織」と名指ししている。

そして三つ目が僻地での文芸活動などが党中央に認められて農民戸籍を離脱できた者だ。いま朝日新聞にコラムを書く莫邦富もそんな奇跡の帰還を果たした一人だ。

文革という地獄を生き抜いた彼が先日のコラムで、その地獄と同じものを日本で見たと書いていた。どんなおぞましい地獄かと思ったら映画「靖国」が見られないという「緊張感」だという。

それが文革のさなか禁書の外国の本を、夜のトイレの中でいつ見つかるかと怯《おび》えながら読んだ、あの緊張感と同じだと。

今の日本で「靖国」を見たら袋叩きにされ手足を折られて殺されるとでもいいたいのだろうか。

だいたい「靖国」は中国人が作った。可哀想《かわいそう》に彼は国家とは国民を騙《だま》し、裏切り、踊らせ、罠《わな》に嵌《は》めるものという経験しかもっていない。その経験を基によそ様の国を推し量ろうとしたのがこの映画だ。

残念ながら日本では国が民を罠に嵌めたりする習慣はない。それにそんな的外れな映画でもちゃんと上映させてやっている。

見当違いのコラムはまた、中国と日本は長年連れ添った夫婦みたいに似ているとある。それも間違いだ。先日の四川大地震（2008年5月12日）では小、中、高合わせて7000校の校舎が倒壊して1万余人の児童生徒が死んだ。

日本では学校は地震とか水害とか万が一のときの避難所になる。

地震で最初に壊れるようには作らない。
日中に似通ったところなどこれっぽっちもない。

（二〇〇八年六月五日号）

第二章　中国報道はウソばかり

口は出すがカネは出さない

産経新聞が北京政府に支局を出してと頼まれたのはホンの一昔前のことだ。

産経は朝日新聞と違って林彪《りんぴょう》の死も文革の酷《ひど》さも正直に書いてきた。

北京にとっては腹立たしい。それで30年も支局は閉鎖されたままだった。

それを世界が知る。中国の脅しに屈しない産経の立派さに比べ、北京の狭量さと朝日の北京盲従ぶりがとかくの噂になって、北京もこれじゃあ具合が悪いと判断した結果だと思われる。

産経の記者というだけで観光ビザも出なかった我が身も、晴れて北京辺りで物見遊山ができることになった。

ただ中国語は話せない。せいぜいマイタン（勘定）とプーヤオ（要らない）だけだ。

だいたい中国語には品詞も時制もない。昼飯が食いたかったら、我と食と欲と昼飯を適当に並べれば通じる。歴史あるピジン語と思えばいい。

石平氏によれば王維《おうい》の「君に勧む更に尽くせ一杯の酒／西の方《かた》陽関を出《い》ずれば故人なからん」も日本語読みした方がずっと情感豊かになるという。

それにそんな未熟語を覚えなくても北京には日本語を話せるガイドがやまといる。

仮にそのガイドを江沢庵《たくあん》と呼ぼう。江氏の話には結構な生活臭があって、例えば小皇帝の話題になると「我が子は苺《いちご》牛乳です」と語る。

江家の朝の食卓では息子が高い苺牛乳を、両親が普通の牛乳を飲む。それほどわが子には贅沢《ぜいたく》をさせている、と。

江氏は名のある家柄の出だった。だから文革のときは子供心にも「大変だった」記憶がある。

文革は毛沢東が劉少奇《りゅうしょうき》を妬んで若者をけしかけてやらせた公開粛清劇だ。

劉少奇は拷問の末に殺され、彭徳懐《ほうとくかい》は足を切り落とされ、鄧小平は下放され……と毛が憎んだ相手は悉《ことごと》く葬られたが、その副作用がひどかった。

四旧、つまり旧《ふる》い思想や文化、風俗なども紅衛兵の攻撃の対象にされた。

毛は彼らに鉄道の無賃乗車の権利と食事と旅館を提供するように命じ、彼らは全国を旅して寺や史跡をぶち壊して歩いた。

この中には空海が学んだ西安の青龍寺《せいりゅうじ》もある。青龍寺は今、伽藍《がらん》の一つも残っていない。

楚の項羽《こうう》が阿房宮《あぼうきゅう》を燃したように、唐の太宗が王羲之《おうぎし》の真筆をすべて墓に持っていったように、中国人にはもともと古き良きものを大事にするという観念はこれっぽっちもない。

だから四旧打破も歯止めはない。盧溝橋《ろこうきょう》の欄干も壊され、敦煌《とんこう》の莫高窟《ばっこうくつ》にも、北京の故宮にも紅衛兵が雪崩《なだ》れ込んだ。

さすがに周恩来が彼らを宥《なだ》めて莫高窟の破壊を止《や》めさせた。朝日新聞特派員の秋岡家栄《いえしげ》が礼讃《らいさん》し続けた紅衛兵の、これが偽らざる実態だ。

四旧打破は市井にも及び、古書や書画を持っているだけで反革命と見做《みな》され、下手したら殺された。

江家も例外ではなかった。「庭で親が泣きながら書画を焼き、景徳鎮の器を砕いて埋めていた」という。

そんな折、どうせ壊すならと海外の華僑が二束三文で買い取っていった。在留外国人、例えば秋岡家栄やどこかの大使館員なども右に倣った。

1990年代に上海に博物館ができた。各フロアには文革で消滅したはずの貴重な陶器や書画が溢れていた。

いずれも寄贈品で、陳列室の入口には寄贈者の名が記されている。

事情通は言う。彼らは海外在住の華僑で文革時にただ同然で多くの書画骨董を収集した。それを今回は政府に寄贈した。もちろんただじゃない。見返りにはたとえば高速道路敷設《ふせつ》とかの利権を得ている、と。

19世紀、英船籍の海賊船が臨検されたのに英仏が因縁をつけ、2万人の軍隊が天津《てんしん》に上陸、項羽と同じように贅を尽くした離宮円明園を略奪して火を放った。

このとき奪われたブロンズ製十二支の「子《ね》」と「卯《う》」がパリで競売に出された。

中国の反応が面白い。奪われずに残っていたところで紅衛兵にやられて何も残らなかったはずだ。「保存してもらって有難う」というのかと思ったら、俺のものだから返せと訴訟を起こした。それが蹴《け》られると別の中国人が最高額で落札して「でも、中国ものだからカネは払わない」。

折しも米国で売りに出たガンジーの遺品をインド人富豪が落札し、国に寄贈すると語った。

日本でも米国のオークションに出た運慶の木彫を真如苑《しんにょえん》が買い戻した。

毒餃子まで売ってカネ儲《もう》けする中国人は、こと文化財となると出すのは口だけ。カネは出さない。分かりやすい国民性だ。


（二〇〇九年三月十九日号）

「皇帝の避暑地」が教えること

日露戦争の前半の山場は旅順を守る要塞《ようさい》攻略戦だった。

日本軍は10年前の日清戦争では例えば東鶏冠山をいとも容易《たやす》く攻め落としていた。しかし今度は中国人でなくロシア人が相手だった。城砦《じょうさい》の攻防に1000年かけてきた彼らの仕掛けは、いま見ても寒気を覚える。

その一つが裸の山肌に数メートルの深さで穿《うが》たれた空堀だった。飛び降りると背後の銃眼から狙い撃ちされた。銃眼に死角はなく嵌《はま》った日本兵は皆殺しにされた。

乃木《のぎ》将軍は攻撃法を変えて露軍の巡らした地下の回廊の下にトンネルを掘って下から爆破してみた。最後はお台場から28センチ榴弾砲《りゅうだんほう》を運んでこの要害を落とした。

兵員の死傷は5万を超えたが、その10年後の独仏国境に沿うヴェルダン要塞攻略では

50万人が死んでいる。

日本軍には初めての精緻《せいち》な西洋式要塞を手探りで、しかもこれだけ短時日に落とした乃木。司馬遼太郎《りょうたろう》がなぜあんな下品な罵倒《ばとう》を浴びせたのか、理解に苦しむ。

その28センチ砲で散ったコンドラチェンコ少将の碑がその東鶏冠山の麓に建っている。文革のとき紅衛兵がその碑を壊し碑文も削った。

その後、日露戦争の戦跡がいい観光資源になると分かって碑を再建した。さもしい動機だから復元碑文もいい加減で「露国ロシサラテンコ少将戦死之《の》所」とある。

おまけにガイドは「日本人が憎い敵将を侮辱するために彼の名を彫った碑を建ててみんなで石をぶつけたある」と真顔で説明していた。

中国人は岳飛を陥《おとしい》れた秦檜《しんかい》の像をわざわざ作ってそれに石をぶつけたり唾を吐きかけたりして喜ぶ。日本人も同じだろうという発想で、こんないい加減な「公式説明」を拵《こしら》えた。

だからといって中国人のつく嘘がすべていい加減かというと、むしろ念入りに捏《こ》ねた嘘の方が多い。

例えば清王朝が万里の長城の外、熱河《ねっか》のほとりにつくった承徳宮だ。

ここには康熙《こうき》帝直筆の「避暑山荘」の額がある。だからガイドも公文書も「ここは皇帝の避暑地で夏を挟む半年間を過ごしました。滞在中は興安嶺麓《こうあんれいろく》の狩り場、木蘭《ムーラン》囲場で狩りもしました」と説明する。

しかし清朝の王様が北京を半年も留守にして遊んで暮らせたのだろうか。

実はこの熱河にはチベット・ラサにあるポタラ宮の3分の1サイズにした小ポタラ宮が造営されている。

乾隆《けんりゅう》帝がダライ・ラマ八世を歓迎するために建てたものだ。パンチェン・ラマのための寺院もある。当時の強国チベットとの友誼《ゆうぎ》を大事にしていた証だ。

康熙帝も乾隆帝も木蘭囲場での狩りを欠かさなかったが、ゲストは常に同盟国モンゴルの王だった。

乾隆帝はウイグルの美女香妃《シャンフェイ》を大事にし、承徳宮には彼女の館《やかた》も造った。

こうしてみると熱河は清王朝が版図に取り込んでいった国々との折衝の場であり、もう一つの都だったことが窺《うかが》われる。

それをいまの漢民族政権はどうして「避暑地」にしたがるのか。

彼らは清も宋や明と同じ歴代中国王朝の一つと数えたがる。そうすれば清の版図つまりチベットやウイグルなどを今の共産党王朝が正しく継承したと主張できる。

しかし清が北京と熱河に都を置いたとなると、景色が違って見える。つまり北京は家奴、漢民族支配のための根拠地でしかなかった。漢民族はチベットなどとは違って清王朝の一植民地の民だったということだ。

実際、事実はそれに近い。清は漢民族に対してのみ満洲の習俗を強いた。一つは辮髪《べんぱつ》だ。漢民族は髪を神聖視して剃髪を嫌った。伸びた髪を頭の天辺に丸めて袋を被《かぶ》せてきた。

その習俗をやめさせ、満洲の髪型を強い、逆らう者は片っ端から処刑した。衣服も満洲風に改めさせた。チャイナドレスとは満洲服のことを言う。他のモンゴルやチベットにそうした強制は一切ない。

ちなみに孫文は漢民族国家を樹立するに当たって満洲服の代わりに人民服を導入した。モデルは日本亡命中に見た鉄道員の制服だ。

漢民族の美意識は太湖石《たいこせき》に尽きる。蘇州・太湖で採れる黒い穴だらけの白い石灰岩だが、日本人が見てもいかがなものかと思う。乾隆帝はこの漢民族好みの太湖石を思い切り嘲《あざけ》る歌を幾つも詠《よ》んでいる。

要するに漢民族は単に清王朝の下の一植民地の民、ひらたく言えば奴隷だった。それを隠すには熱河は避暑地でなければならなかった。

ここでも中国人は歴史の捏造《ねつぞう》をやらかしている。

（二〇〇九年五月二十八日号）

北京で会った「百人斬り」記者の娘

向井敏明《としあき》、野田毅《つよし》の二人の少尉が南京《なんきん》の収容所に送られたときは異様な雰囲気だったと、当時の収容者の一人は語っている。

米国は日本のイメージを「第三世界の解放者」から「残忍な侵略者」へと書き換えていた。

それは難しくはない。日本人千人が否定しても、白人一人がそうだと言えばそれを真実にできた。白人支配とはそういうことだ。

実際、米国の宣教師ジョン・マギーとドイツの武器商人ジョン・ラーベの証言だけで30万人南京大虐殺があったことにされてしまった。

バターン死の行進も同じで日本人が何を言おうと米国人の嘘が真実になる。

ただ彼らも白人が創《つく》った嘘ばかりでは気が引ける。

だから東京日日新聞（毎日新聞）の「百人斬り」は日本人が自ら「残忍な日本人」を語ったと大喜びした。

二人の少尉は日本認定の貴重な「残虐・日本」の象徴として扱われたというのが冒頭の異様な雰囲気の意味だ。

二人はそんな米国の目論見《もくろみ》を知らない。南京の獄中から記事を書いた浅海一男《かずお》記者に「真実を語って」と手紙をしたためた。

浅海は記事で二人に無錫や丹陽など4か所で会って、その都度、関孫六で30人斬った50人斬った、最後に紫金山で会ったときはとうとう100人を超えちゃったと二人で大笑いしたと書いている。

しかし二人はこの記者に無錫で一度会っただけだ。向井はその後、負傷して病院に送られ紫金山にも行っていない。浅海自身も従軍記録によると激戦地の紫金山には行っていない。

要は浅海のでっち上げ記事だった。状況証拠もある。彼はAP特派員との架空会見など他にも嘘を書いていた。毎日新聞社らしい嘘の常習記者だった。

そんな男が真実を語るとも思えない。案の定、返信は「記事にした事実は二人から聞いた」と真実の一片も語ってはいなかった。

かくて二人は浅海の記事を唯一の証拠に、その1か月後に処刑された。

一方の浅海は戦後、新聞社で将来設計を考え、これからは「左」に活路があると読み、新聞労組幹部になった。

中国に左の政権ができると彼も早速、毛沢東賛美に走った。

中共の対日新聞工作は1960年代に廖承志《りょうしょうし》を中心に活発化し、やがて日中記者交換が実現した。

浅海は毎日新聞労組委員長として北京に招かれ、廖に会った。廖はそこで彼があの「百人斬り」の嘘を書いた浅海本人と知る。

「残虐・日本」はまだ使いでがあると北京は読んでいた。カギとなる浅海を放置しておく手はない。廖は浅海の定年退職を待って彼を一家ごと北京に招いて彼に職を与え、娘の真理を北京大学に入学させた。

やがて本多勝一の「中国の旅」が朝日新聞で始まり、浅海の「百人斬り」がもっとどぎつく再録された。

山本七平がその嘘を糺《ただ》し本多と論争になった。

浅海も北京から戻ってきて他人事《ひとごと》のように「二人は最期に日中友好を叫びました。その精神が大事です」とか。「日本軍は毒ガスの赤筒で敵兵をいぶり出して掃討した」とか。「敵兵」とはトーチカに鎖で繋《つな》がれていた。いぶったところで外に出てはこれない。それに赤筒は催涙弾で毒ガスではない。

浅海は親子で世話になっている北京政府の思惑通りに日本を残虐な侵略国家として死ぬまで語り続けた。

二人の少尉の遺族が浅海の嘘に関わった毎日新聞と朝日新聞を２００３年に訴えた。しかし地裁の裁判長も高裁の裁判長も米国製の歴史観を覆す度胸はなく遺族の訴えを退けた。最高裁はもっと臆病に門を閉ざして毎日新聞の嘘で殺された両少尉の遺族の思いを裏切った。

判決のあと北京にある国営友誼《ゆうぎ》商店を訪ねた。日本からの旅行客が必ず連れて行かれる土産屋で、その１階左奥に浅海の娘が北京政府からもらった店があった。

廖承志の額の下で彼女は「父は苦しんだ」という。自分の嘘で二人も殺したら誰だって苦しむ。でもその嘘のおかげで親子二代がこうして安穏と暮らしてきたことは語ろうとはしない。

ちなみに今回総選挙では最高裁判事の審査がある。百人斬り訴訟を棄却した判事は残念ながら対象外だが、彼らの不始末の責任をとる竹崎博允《ひろのぶ》最高裁長官がいる。国民があの裁判をどう思ったか。×で示して欲しい。

（二〇〇九年九月三日号）

「あった」というのなら証拠を出せ

ちょっと前、戦史ツアーで旅順を巡り盧溝橋から南京にも足を延ばした。

同行者は満洲からの引き揚げ者とか旧陸軍兵士とか。物故された名越二荒之助《なごしふたらのすけ》が旅の間、貴重な体験談を披露されていた。

南京の大虐殺館も見たが、さすが物まね大国中国だ。随所にコピーがちりばめられていた。たとえば中庭には犠牲者の名を刻んだ御影石風の壁が連なるが、これは一目でワシントンDCにある5万8000人の戦死者の名を刻んだベトナム戦争慰霊碑を真似たものと判《わか》る。

建物のエントランスに入ると中は真っ暗。その闇の中から虐殺をイメージした映像が壁面に浮かび上がり、静かな鎮魂の旋律が流れてくる。

これはエルサレム近郊にあるホロコースト記念館のそれとそっくり同じだ。もともと嘘で拵えた虐殺話だから、真実味を出すのに苦労する。だからどこかを真似するのが一番手っ取り早いと江沢民は考えたのだろう。

出口には村山富市と土井たか子が贈った花輪が並ぶ。これは川崎辺りのパチンコ屋の「本日開店」の真似なのか。

バスに戻って、独創性のなさを笑っていたら、ガイド兼通訳の戴国偉《たいこくい》が眦《まなじり》を決してすっ飛んできた。

「ここにくる日本人はみな申し訳ないことをしたと詫《わ》びます。有名人も泣いて謝罪しました」

どんなのが泣いたのかと聞いた。

「朝日新聞の本多勝一さんや筑紫哲也さん。『ニュースステーション』の久米宏さんも私の話に真剣に頷いていていました」

戴は本多が「南京大虐殺は彼の言う通りに書いた」という「彼」と言われる。想像力のとても豊かな人だ。そんな戴に同行の人は結構辛辣《しんらつ》で、「筑紫も久米も南京を飯のタネにしている。ガイドのあんたと同じだ」といった声もあった。

それでは南京大虐殺研究会の会員でもある戴は立つ瀬もない。

で、提案した。ホロコーストでは映像も遺品も人骨も山ほどある。南京で30万人虐殺したというなら、その骨や遺品を並べたら説得力が出るだろうと。

項羽と劉邦《りゅうほう》は垓下《がいか》で戦い、敗れた項羽は足手まといの愛人虞美人《ぐびじん》を殺して逃げた。伝説と思っていたら、戦跡から項羽の鍍金《めっき》された青銅剣が見つかった。

2000年前のものでも出てくるのだから、たった数十年前の事件だ。豪華な記念館を建てるよりそこらを掘ればいいいと。

でもそんなのは出てくるわけもないのを戴は百も承知だから「現場写真で十分じゃないか」と開き直る。

「現場写真」とはたとえば虐殺館に展示される日本兵が中国人の首を刎《は》ねる写真だとか。しかし刀を構える日本兵もどきはなぜか左足を前にして立つ。それで首を斬ればついでに自分の左足も切ってしまう。

亜細亜大教授の東中野修道は首を刎ねる日本兵の軍装も見事なほど出鱈目《でたらめ》だと指摘する。

戴が「虐殺があった」もう一つの証拠として宣教師ジョージ・フィッチと宣教師兼金

陵大教授マイナー・ベイツ、さらにNYタイムズ特派員ティルマン・ダーディンらの証言を挙げる。でも彼らはいずれも日本を敵視する米国から派遣されてきた者ばかりという偏《かたよ》りの説明はない。

とくにフィッチは蔣介石の妻宋美齢《そうびれい》と親友以上の仲だった。

彼らの目撃証言はイェール大神学部図書館に残されているが、どれも宣教師どもが「見たことにした」作り物だ。

要するに米国人が意図して創ったデマを江沢民が政治利用することにし、朝日の本多勝一と戴国偉が話を膨らませ、筑紫と久米がそれをテレビでふりまいたのが南京大虐殺ということになる。

先日、河村たかし名古屋市長が南京共産党幹部の劉志偉に「南京虐殺などなかったのでは」と聞いた。

聞かれた劉は戸惑う。彼は江沢民から「日本には歴史を百万遍言え」(江沢民選書)とは教わったが、その歴史が真実という証拠は見たこともない。

口ごもった挙句「南京市民は平和のために歴史を学ぶ」と頓珍漢《とんちんかん》を答えた。

問題は南京の嘘の日本側責任者、朝日新聞だ。こちらも本多勝一を嘘つきと言われたのに、劉と同じでただしどろもどろ。いまだに反論もできていない。朝日の記者が覚醒剤をやって捕まった。新聞記者なのに嘘しか書かせてもらえない。ヤクに走る気持ちが分かるような気がする。

（二〇一二年三月二十二日号）

格安中国航空は命も安い

中国の女を書かせたら右に出る者がいない福島香織がまだ産経新聞の特派員だったころ。

「『汚水の中に沈む』中国」のタイトルで衝撃の報告を北京発で送ってきた。

中国に下水はない。生活排水も工業排水もみなどぶに捨て、それがやがて長江に流れ込む。

流入汚水は「年間約300億トン」。油脂に重金属も入って、それがコロイド化して長江の流れに適度なとろみをつける。

長江上流の武漢。かつて李白が黄鶴楼《こうかくろう》から親友、孟浩然《もうこうねん》を見送った。春眠暁を覚えずの一句だけで知られる詩人だ。

そのときに李白がうたったのが、

故人、西の方《かた》、黄鶴楼を辞し
煙花三月揚州に下る
孤帆の遠影碧空《へきくう》に尽き
惟《ただ》見る長江の天際《てんさい》に流るるを

同じ楼に立つと今は花も青い空もない。スモッグと悪臭が視界を遮り、目を刺激して涙を誘う。

彼女の報告を確かめるため、手で長江の水をすくうと粘ってからみ、指は墨汁で染めたように黒ずんだ。石鹸で洗っても落ちなかった。

恐ろしい報告を読んだ同じ日付の朝日新聞に北京・清華大の女助教授、常杪《じょうしょう》が中国の水市場に「日本も参入を」と書いていた。

中国はいま上下水道の利権を開放した。フランスやドイツの企業が続々進出しているのに日本企業は立ち遅れ、みすみすビジネスチャンスを逸していると常杪は言う。

日本の技術ならそれに十分太刀打ちできる、早い者勝ちだと勧誘する。なに、事業は簡単。自腹で浄水場をつくり各戸に配管して20年後に中国政府が接収するまで好きに水を売って儲けられる。

でも、もとが尋常の水ではない。並みの濾過器《ろかき》では目詰まりするから煮沸蒸留するしかなかろう。むしろ海水から真水を作った方が安いと素人だって思う。

それだけ苦労しても中国人は水に金を出すほど軟《やわ》じゃない。人の好い日本人から技術と設備をただ頂こうという魂胆が丸見えだ。

こんな詐欺話をさもまともそうに載せる。日本企業が引っかかって大損を出したらなんて朝日新聞は考えてもいない。

同じ朝日のコラム「論説委員室から」で、茨城空港に乗り入れている中国の格安航空の「春秋航空」が東日本大震災のあと、日本はもう安全だからと中国人にアピールし、結構、成果を上げていると〝いい話〟そうに論説の田中某が書いていた。

最近は「殺しと言えば中国人」が形だ。日本人にはそういい話にも聞こえないが、それ以上に「中国の飛行機」に深刻な問題があることを田中は黙っている。

中国には約2万人の乗員がいて国内、国際線併せて1600機を飛ばしている。それでも足りずに今年もエアバスを含む200機を投入したという。

同慶の至りだが、ただ増える飛行機に乗員養成が追いつかない。

その結果、技能未熟の操縦士が満洲で飛行機を落としたり、英語の管制が不慣れで、あわやの場面が増えているとヘラルド・トリビューン紙がだいぶ前に書いていた。

実際、日本でも中国「南方航空」機が中部空港で管制官の制止を聞かずに勝手に滑走路に入って、着陸中の機が慌てて回避している。

原因は中国人機長の英語ベタ。

成田でも中国では大手の「国際航空」機が管制塔とコンタクトしないまま、無許可で勝手に着陸した。

機長は英語がだめで管制との交信も好きじゃなかった。ただ空港はすいていたから問題ないと言い張り、前原国交相も中国人機長の意見を尊重した。

同じころ上海虹橋空港で燃料不足で緊急着陸する機の前に国内線の飛行機が「割り込み着陸」する騒ぎもあった。

中国当局もさすがに困って今は「洋機長」、つまり外国人操縦士を入れ始めた。日本航空の45人を含め米国人、ブラジル人ら1800人が働く。年収は中国人操縦士の3倍、

20万ドルという。

料金だけでなく乗員の質も待遇も格安といわれる「春秋航空」の安全性がどんなものか、想像に難くない。

日本を犠牲にしても中国と仲良く、は朝日新聞の社是だ。

友好のためなら日本人はカネだけでなく命も差し出せというつもりか。

（二〇一二年十二月二十日号）

中国のホテルにある「値段表」

思い立って毛沢東の生地、湖南省辺りを旅した。

「湖広熟すれば天下足る」と昔は言った。湖南省、湖北省など洞庭湖《どうていこ》周辺がちゃんと実れば、中国に飢はない。中国の穀倉地帯ですよほどの意味だが、今は様子が違う。都会に出て、たとえ奴隷工場で働いても百姓するよりは現金が入る。いわゆる民工《みんこう》が故郷から流れ出して湖広は休耕田が目立ち、荒れるに任せていた。

そんな荒れた景色にすっくと立つものが二つある。

一つはごみの山。積んで山にし、もうこれ以上積めなくなると川に流す。先日は病気の子豚が1万頭近く黄浦江《こうほこう》を埋めた。

もう一つが群像。ホントにあちこちにある。

中共のために戦う人々、働く人々などいくつかパターンがあるが、群像の表情も姿勢もほとんど同じだ。

若い男女が向かって右方向に行進する姿で、顔は進行方向のやや上の方を見上げて、表情は明るく健康そうな笑みを湛《たた》える。

それが開拓のための像ならそれぞれの手に鋸《のこぎり》か斧《おの》を持ち、後ろの方の者は翻《ひるがえ》る旗を持つ。

日本軍との古戦場なら鍬《くわ》に代わって銃を持つが、群像の表情は変わらない。

たまに真面目な顔の群像もある。中国共産党の根城だった延安に立つ五人の男の群像には笑顔はない。

きりりと口を結んで肩を並べて歩む五人は毛沢東と周恩来、朱徳《しゅとく》、劉少奇《りゅうしょうき》、それに任《にん》弼時《ひつじ》だ。

この延安の穴居住宅、窰洞《ヤオトン》には彼らのほか鄧小平も彭徳懐《ほうとくかい》も林彪《りんぴょう》も棲んでいた。

なんでナンバー5が無名の任弼時かというと他は毛の機嫌を損ねたからだ。

林彪は毛の暗殺を企んだ。彭徳懐は毛の息子を朝鮮戦争で死なせ、おまけに大量の餓死者を出した毛の農政「大躍進」の失敗を責めた。

それでみな非業の死を遂げるか、地方に流された。傷ものにならなかったのを探したら、早死にした任弼時しか残っていなかったというわけだ。

街々の群像を眺めながら張学良が監禁された鳳凰山《ほうおうざん》に向かう田舎道を走っていたら道路の真ん中をよぎるように働く労働者の群像があった。

10人ほどの像はよくできていて偽善めいた笑みもない、体もリアルにみすぼらしい。と思ったら端の3体が動いた。1人がシャベルで泥を掬《すく》ってゆっくり荷車の中に入れ、そこで動かなくなった。

続いて隣の座像が杭の頭に槌を落として同じように動きを止めた。

群像と見えたのはごくスローに仕事をする中国人の群れだった。日本人なら1人で彼らの30人分はこなせる。

旅の終わりは蓝江《しこう》。米軍が30万人の中国人を使って1年がかりで滑走路をつくったフライング・タイガー基地の近くだ。これも日本人なら1日で作っただろう。

安普請のホテルに入ると中国人の若い男がフロントの女相手に喚《わめ》いていた。

聞けば男が部屋でシャワーを浴びていたら、その隙《すき》にベッドの上に置いてあった財布が盗まれてしまった。

フロントの女がドアは閉まっていたかと聞いた。「いやエアコンがだめだったからドアを開けて風を通していた」と男。

「じゃあ盗《と》られてもしょうがない」と女に言われ、「何をぬかす」となったらしい。

男の怒りは頂点に達してロビーの真ん中に置かれた一人坐り用のソファに取りつき、抱え上げて正面ドアに投げつけた。ドアは弾《はじ》け飛《と》んだ。

今度はフロントの女が喚き出す。喧《やかま》しかった。

部屋に落ち着いたら机の上に「値段表」があった。ハンガーが5元で枕《まくら》が40元、テレビが2000元とある。ここは中国だ。彼らはなんでも盗む。盗んだのが見つかればこの表に従って罰金を払わせられるのだろうと思った。

でも「バスタブ」「押入れ」という項目もある。

どうやって盗むのかと思って、さっきロビーで見た光景を思い出した。

そう。これは失敬した場合の罰金でなく、暴れてぶっ壊したときの弁償費用を示していたのだ。

それが冷蔵庫の飲み物の値段表と同じに置かれているさり気なさがすごい。

広島のカキ養殖場で中国人実習生が「日本人並みに働かされた」ことを恨んで日本人

九人を殺傷した末に捕まった。
中国人と心の交流は難しい。人的、物的交流は難しい上に、危ない。
（二〇一三年三月二十八日号）

日本列島を逆さまに見ると面白い

例えば米国の数少ない全国紙の一つＵＳＡトゥデイ紙の天気予報図を見る。これが最終ページ全面を使い、アラスカからハワイ、グアム、プエルトリコに至るまでの米領土のすべてを入れた「でっかい米国」が描かれている。その上に北太平洋で発生した低気圧が発達しながら西海岸を目指す様子やメキシコ湾にハリケーンの卵が産まれ、それが育っていく様が日々描かれていく。市民は傘を用意しながら、我がアメリカの大きさに感動し、ラドヤード・キプリングの気分になって〝大国の重荷〟をちょっと感じたりする。

それと対照的なのが日本の天気図だ。

日本は北の択捉《えとろふ》から南の沖ノ鳥島、西の与那国までほぼ３０００キロ四方ある。中身はほとんど海だが、経済水域で言えば国土面積世界7位のインドより大きな広がりをもっている。

しかし我が天気図はその一部が新聞の片隅にちらり載るだけ。テレビに至っては本州など四つの島のみで択捉も与那国も省略し、沖縄は画面左上に別枠でちょこんと置かれる。まるで卒業式を休んだ不良中学生の扱いだ。

中国や朝鮮半島も載らないから台風が大陸にいくと、もう知らんふり。実はそれが大陸を東に抜けて1週間後の日本に雨を降らすことになるのに、日本人はその経緯も知らされない。

切り取られ、割愛、分断された地図から日本が大きいなんて誰も思わなくなる。武村正義みたいに「小さくともキラリと光れば」とか馬鹿言うものも出てくる。

その日本を上下逆に、つまり中国大陸を下に、その上に日本列島が下弦の月のように描かれた地図がありますと先日の東京新聞のコラムにあった。

逆さ地図は二昔前に富山県が創ったとか。地図の下側にはロシアの沿海州、朝鮮半島から中国大陸が並び、日本海を挟んだ地図上部には樺太《からふと》から日本列島、吐噶喇《とから》、琉球《りゅうきゅう》、先島諸島と続いて台湾に至る島々が連なる。

日本海という湖をそうした国々が囲んで一つの「生活圏」を作ってきた、「その中心が富山」なのだと言いたいらしいが、その地図は眺めているだけで天気図では見えない日本と大陸の関係が妙に生々しく浮かんでくる。

コラムも「大陸側からは日本が太平洋への出口を塞ぐように見える」と続く。塞がれれば人は出たがってぶつかってくる。

でも喧嘩はダメ。日本は全体を繋ぐ存在にならなくちゃとかコラムは馬鹿を言って終わるが、こうしてみると大陸からは日本がホントに鬱陶《うっとう》しかったと思う。

で、最初に彼らに蓋する日本に挑んだのが三千世界を滅ぼしたモンゴルだった。彼らは対馬で捕えた女たちの掌に穴を開け縄を通して舷側《げんそく》にぶら下げて来襲した。

彼らは2度来た。勝てば彼らがリャザンでやった身の毛もよだつ殺戮《さつりく》と強姦をこの日本でやったはずだ。日本人は消え、源氏物語も法隆寺もみな燃やされてしまっただろうが、幸い日本は2度の元寇《げんこう》を跳ね返した。

3度目は満洲王朝清《しん》の北洋艦隊がドイツ製の大きな軍艦に乗ってやってきた。日本は清朝の軍艦が黄海を出る前にみな沈めてしまった。

4度目はロシアが出てこようとした。日本はロシアの三つの艦隊、ウラジオストック艦隊、旅順艦隊、そしてバルチック艦隊のすべてを屠《ほふ》って、海では大陸国家《ランドパワー》は海洋国家《シーパワー》に勝てないことを教えた。

ロシアは悔しくて先の戦争で日本が降伏した後にカムチャツカから攻め込んできたが、出だしの占守島《しゅむしゅ》で手ひどくやられた。5度目にやってこようとしたロシア人は武装解除した日本軍にも勝てなかった。

どんな強国もこの日本列島の弧は破れなかったのに、ここにきて習近平が海洋強国論を語り、漢族として日本退治に出ることを仄《ほの》めかしてきた。

日本に1世紀も遅れて航空母艦を初めて持ったりもした。

ただ彼らには海に出た歴史がない。いや鄭和《ていわ》の航海があると威張るが、鄭和自身も乗組員もウイグル人だ。

漢族にとって「海は常に恐怖」（黄文雄）だった。白村江《はくすきのえ》の戦いに敗れた日本は唐の軍隊の追討を恐れ、九州に水城《みずき》も作った。しかし彼らは来なかった。

唐のトップは鮮卑で、兵は漢人だが、ともに海への恐怖心で来るに来られなかったからだ。

習近平が6度目の挑戦をしたところで後世の歴史には「日本が過去戦った中で最も弱

い相手だった」と記録されるだろう。
逆さ地図はそんな明日の姿も見せてくれる。

（二〇一三年九月十九日号）

第三章　「超大国」なんてトンデモない

世界でもっとも粗雑で幼稚な言語

恵比寿のその日本料理店は高層階からの眺めと落ち着いた佇《たたず》まいも売りだった。

先日、久しぶりに訪れて窓側のテーブルに着き、料理を頼んで、ふと気づくと後ろがやたら騒がしい。

言葉で米国人と分かる男と日本人女が三人。この辺の外資企業のＯＬが上司の米国人と一緒に食事を、という雰囲気だった。

それはいいが、男の声がでかすぎる。日本女も「リアリー」とか言ってキャッキャッ哄笑《こうしょう》する。

それがテーブル三つを越えて飛んできて、こちらの会話もかき消した。

仕草で咎《とが》めても不作法を改めない。天下の英語様のお通りだいという感じ。根負けしてこっちが席を替えたが、その間にちょっと面白い現象に気付いた。

女たちが日本語で話すときは音量がぐんと下がって静けさが戻る。

どこかで似たような経験をした。そう、洞庭湖《どうていこ》を旅したときのことだ。

雇った小型バスに乗ったら中国人ガイドが運転手と喋っていた。それがけたたましい音量だった。

この騒音と旅をするのかとうんざりしたが、彼がいざ日本語を話し始めると、実に物静かに喋る。外のそよ風の音さえ聞き取れそうだった。

映画「永遠の0」の中で怒鳴る岡田准一の声が聞き取り難《にく》かった。それは日本語は静かに話す言葉だからだ。

対して中国語が喧《やかま》しいのは理由がある。中国語には時制も品詞もない上に語彙《ごい》も少ない。宣伝も階級も民主も共和も共産主義も、みな日本が作った言葉だ。

それが日本から届くまで彼らは思いの半分も表現できなかった。残り半分は声量と暴力で理解させた。結果、適者生存で大声の中国人だけが残ったのではないか。

では恵比寿で見かけた米国人はどうか。

実は英語も語彙は少ない。kill や eat や sex など1音節語が主で、長い言葉は喋らなかった。

pediatrician（小児科医）なんて言葉はギリシャ語が入ってくるまでなかったし、だいたい子供の病気まで気にかける民でもなかった。

だから新しく入ってくる文明にはラテン語やフランス語、ドイツ語をそのまま採用して語彙を増やしたが、それでも語る言葉は情感に欠けて乾燥している。

例えばイエスの「最後の晩餐《ばんさん》」は「Last Supper」以上の表現はない。

涼しげな夕立も shower だけ。雰囲気は伝わらない。

柿の渋さは bitter（苦い）。対してもうちょっと情緒のあるイラン人は渋柿の渋味を filming と英訳した。

「薄膜を張ったような感覚」をうまく表現するが、米国人は味覚も鈍いからそれも分からないでひとくくりに「苦い」にしている。

英語には中国語と違って時制も格変化もあるけれど、語彙不足、情感不足の点で中国語と変わらない。

だから中国人と同じに大声で喋る。

そんなお粗末な言葉が国際化日本の必須だと、文科省が言いだした。

小学校3年生から英語を教え、中学では先生も生徒も英語で授業をする。英検準1級を取れば大学のセンター試験で英語は満点扱いにするという。

まるで西洋かぶれの明治維新みたいだが、ただ最初に英語の勉強を始めたのは英国船が長崎で狼藉《ろうぜき》を働いたフェートン号事件がきっかけだったことは知っておきたい。

危険な敵を知るために「諳厄利亜《アンゲリア》語林大成」が編まれ、次にペリーが江戸を火の海にすると脅して英語研究の蕃書調所《ばんしょしらべしょ》が九段下に置かれた。

英語は禍《わざわ》いをもたらす国の言葉だと日本人は認識し、日本の国防のために勉強を始めた。その認識は正しく、実際、彼らは最後は原爆まで落とした。

そんな言葉を懸命に勉強しなければならないのは、彼の奸智《かんち》を知るためだということを授業の初めに言うべきだろう。

でも英語は難しい、話せないという日本人は多い。

それは誤解だ。英語は中国語と同じで粗雑で幼稚だ。対して日本語は奥が深い。それを粗雑な英語で語ろうとするから難しい。5歳児に話すように言えばいい。

例えばシンガポールにいく。あの辺の華僑が「日本はアジアを侵略した」とか非難がましく英語で言う。

そしたら易《やさ》しく「日本軍は中国人とは戦わなかった」「この地を植民地にしたお前たちの白人のマスター（ご主人様）と戦った」。それで済む。

（二〇一四年二月六日号）

習近平の「完食の勧め」

「この疑い深い私がオルニチンを飲む理由」の見出しで栄養食品を勧めるコマーシャルがある。

そう語るのはクイズ番組で学生帽をかぶって素敵な脳味噌の回転力を披瀝《ひれき》している漫画家だ。

そんなヒトの決め台詞《ぜりふ》だから真実味が増すのだろうが、このヒトはその調子で日本の安全保障も語っている。

「中国人が攻めてきたら戦わずに素直に手を上げる。中国人支配の下でうまい中国料理を食って過ごした方がいい」といった内容だ。

いかにも左翼文化人らしい高みを感じさせる。平和憲法を守り、軍隊もいらない。平和を愛する者を中国人が殺すはずはないと。

いい響きだが、この文言には二つ誤りがある。

一つは「うまい中国料理を食う」というくだりだ。

いま北京、上海辺りで中国料理を食ってみるがいい。どぶから集めた「地溝油」を使う店ではなく、人民解放軍直営の北京国賓大飯店の飲茶《ヤムチャ》だっていい。

一口目はうまい。でも二口、三口となると箸《はし》が進まなくなる。我慢して五口も食べ続けると帰国してから暫くは中華料理を食う気もしなくなる。

そうなる理由はグルタミン酸ソーダだ。あちらは鍋《なべ》の底が白くなるほど入れる。だから最初はうまいと思っても後が続かない。料理を山と残してしまう。

今は習近平の御代だ。彼はたとえ特権階級の太子党でも日本人観光客でも「光盤」をきつく命じている。

光盤の「盤」は料理を盛るお皿を言う。

「光」は日本人には馴染《なじ》みない。何かを「し尽くす」といった意味だ。頭髪が抜け尽くして光っている状態を思えば分かり易いか。

つまり光盤は「皿の料理を残さず食い尽くす」ことを言う。中国では料理を贅沢に残すのがお大尽の形だが、賄賂《わいろ》根絶、奢侈《しゃし》ご法度を言う習近平がそれを禁じた。

グルタミン酸漬けを食い尽くすのは拷問に近い。

「疑い深い」漫画家は「中国人は手を上げれば殺さない」と断言する。

これが二つ目の誤りだ。

中国人は逆に無抵抗の者を殺すのが趣味だ。

蔣介石も毛沢東も村を襲って奪い、犯し、殺し尽くす戦法をとってきた。

クリスチャンの蔣は毛と違って、時には村人全員の両足を斬り落とすだけで許した。

毛より人情味があると言いたいらしい。

ただ日本人が相手となると彼らの人情味は失せる。

盧溝橋《ろこうきょう》事件直後の通州事件では中国人は無抵抗の日本人市民を一軒ずつ襲っては犯し殺していった。２２０人の日本人を殺し尽くすのに丸一日かかっている。

中でも10歳の男の子とその母の殺し方は凄惨《せいさん》だった。まず母を犯し、次に男の子の指を斬り落とし、針金を鼻に通して母の足に結び付けて、引き回した挙句に殺している。

彭徳懐《ほうとくかい》は自伝でこの「殺光焼光搶光《そうこう》（殺し尽くし焼き尽くし奪い尽くす）は日本軍が三光の名で実行した」と言った。

しかし日本人は、「光」は満鉄の時代から新幹線までいい意味でしか使っていない。彭徳懐はそんな嘘を吐《つ》くから足を斬り落とされたりして惨《みじ》めな最期《さいご》を遂げた。だから中国人が来たら手を上げて降伏すれば、その指を切られ、女は犯され、棒を突っ込まれて殺される。

いい加減なデマで中国の真実を隠すのは鬘《かつら》で禿《はげ》を隠すよりたちが悪い。

彼ほど悪くはないものの、小保方晴子騒ぎでは別の意味で世間を誑《たぶら》かす言葉が出てきていた。理研の改革委委員長が語った「欧州の友人が世界三大不正の一つと言った」というくだりだ。

「欧州の友人」は私見を尤《もっと》もらしく見せるために昔、新聞社の特派員がよく遣った手法だ。

「ドイツの友人は日本のテレビが俗悪すぎると言った」(毎日新聞特派員)という嘘は今もジャーナリズム評論に残っている。

それが学者世界にまで浸透してきたことに驚く。

なぜ自分の意見を「欧州の友人」に託すのか。

だいたいアドレナリンを見つけた高峰譲吉の手柄を米国人が盗んだり、癌《がん》は寄生虫が原因なんて嘘でノーベル賞を横取りしたり。欧米の科学界は昔から百鬼夜行の詐欺師集団だ。小保方さんなんてごく可愛《かわい》い方だ。

中国人や白人を使って権威付ける必要はない。日本人の本音を話せばいい。

（二〇一四年七月三日号）

日本軍は善玉だった史実

江南に中国悠久の歴史を刻む三大楼閣がある。

一つが武漢の黄鶴楼《こうかくろう》。三国時代に建てられ、唐代には李白がここで孟浩然《もうこうねん》を送る詩をつくっている。孟浩然はあの「春眠暁を覚えず」を詠った詩人だ。

この楼は戦火で何度も焼かれた。清《しん》朝の同治帝が何度目かに再建した三層の楼閣は20年ももたずにまた焼かれた。

これを江沢民が南京《なんきん》大虐殺《ぎゃくさつ》記念館建設のついでに再建することにした。

日本から史料を借りて建てたのが今の黄鶴楼だが、三層では地味だからと五層にし、高さも見映えがいいからと倍にした。彼らは再建という言葉の意味を知らない。

二つ目の楼閣が唐代に建った南昌の滕王閣《とうおうかく》。この記録はちゃんと残っていて過去に28

回焼かれたとある。その再建をまた江沢民がやったといい、三層の楼は9階建てに変わり、昔日《せきじつ》の面影はすべて消えた。

三つ目が洞庭湖を望む岳陽楼で、なぜか同治帝の再建したまま。奇跡的に1世紀以上も生き残っている。それが珍しくて、ここを訪ねたことがある。

「昔聞く洞庭の水／今上る岳陽楼」と杜甫《とほ》が詠ったころとは違って庇《ひさし》は深く反った満洲風に変わったものの、その佇まいは昔の姿を十分偲ばせていた。

なぜここだけ無事なのかは岳陽の街に降りて分かったような気がした。

この辺の人は中国人と思えないくらい笑顔がいい。夕間暮れ、広場に人が集まる。日本人と知って的屋のおばさんがただでいいから遊んでいってと歓待する。

広場の外れに天幕があって、覗《のぞ》いたら正面におばあちゃんの遺影と線香の煙があった。あちら風のお通夜《つや》だった。

ここでも日本人と分かると居合わせた親族が故人のためにと焼香をせがんだ。教わった通り線香をあげると後から「よしッ」と日本語が飛んだ。いつの間にか20人もの身内が集まっていて、みな立ったまま腕組みしていた。

腕組みと「よし」の言葉はあちらのＴＶで見る「悪い日本軍将校」の形だが、彼らの表情は寧《むし》ろ親しみさえ湛えていた。

本物の日本兵がこの街にきたのは彼らの祖父母の時代、武漢が落ちて間もない昭和13年10月だった。それまでここに居座って略奪やら強姦やら勝手をやっていた蒋介石軍と葉剣英らの共産党軍は100キロ南の長沙《ちょうさ》に逃げていた。

日本軍がきて、岳陽の街の民はほっとできたが、蒋介石軍と共産党軍がなだれ込んだ長沙は大変だった。

蒋の軍勢は日本軍の影に怯《おび》え、逃げる時間を稼ぐためにこの50万都市に火を放った。長沙は3日燃え続けて3万人が死んだ。

蒋の軍はその3か月前にも九江《きゅうこう》で似たようなことをしたと石川達三の『武漢作戦』にある。彼らは攻める日本軍の足止めのために「長江を決壊させ、さらに井戸にコレラ菌を投げ込み、一昼夜で九江はコレラ菌で充満した」「衛生兵が2週間かけてコレラ菌を絶滅し、内地から運ばれたコメ40俵を九江の難民に配った」。

蒋介石は黄河も決壊させている。日本軍は追撃をやめ被災者の救助を行ったが、この洪水で30万人は死んでいる。中国の民の敵は常に中国の指導者だった。

湖南の街で初めて見た中国人の柔らかな笑顔はそうした昔の記憶ゆえなのだろうか。

先日の新聞に「中国で日本軍善玉論が飛び出した」とあった。

発端は中国のツイッターに「狼牙山《ろうがざん》の抗日勇士は実は共産党の夜盗だった」と載せた男が逮捕されたことだった。普通はそれで終わりだが、男は裁判に訴えた。

狼牙山の勇士とは五人の共産党軍兵士が日本軍と雄々しく戦い、最後は降伏を潔《いさぎよ》しとせず、千尋の谷に身を躍らせたというお話。

しかし毛沢東軍は日本軍とはまともに戦ったことがない。その意味でとても貴重な抵抗になるから彼らを祀《まつ》った抗日記念館が建てられ、学校の教科書にも堂々載せてきた。

それが実は真っ赤な嘘だった。彼らは銃を手にしたごろつきで、乱暴狼藉を働き、困った村人の訴えで日本軍が駆けつけ、彼らは「逃げ回った挙句に谷に落ちた」と村の古老は語り継いできたことが法廷で語られた。

裁判はあの国のことだ、男の敗訴に終わったが、一方で狼牙山の話を教科書から外す動きも出てきたとか。

歴史は楼閣とは違う。簡単に創《つく》り替えられないものなのだ。


（二〇一四年七月十七日号）

ノルマンディ記念日で中国が外された理由

大川端から品川に移った荻生徂徠《おぎゅうそらい》は「これで徳の国に二里近づけた」と喜んだ。徳の国とは信じられないことだが、中国を指す。

そういう誤解が今も残っている。松下幸之助もヤオハンの親父も中国はいい国と思い込んで身ぐるみ剝《は》がされた。外務省は今の今も年間３００億円のＯＤＡを北京に献金している。

でも日本人みんなが馬鹿ではない。中国のいい加減さは十分心得てきた。

「だいたい支那人は民族意識もなく、カネ儲《もう》け以外に道楽はない」（大本営陸軍部辻政信編『これだけ読めば戦は勝てる』）

「従って東洋民族としての自覚を促したり、利益の伴わない事に彼らの協力を期待した

りするのは極めて難しい」(同)

植民地支配下にあるアジアの兄弟を救おうと言っても、そうした大義を理解する心根は彼らにはない。逆に中国人は「米英仏蘭に取り入り、土人を誤魔化し、力を増している」(同)。

アジアを植民地にした英国は「ロンドン市民のほとんどが住み込み女中をもつ」(フランシス・フクヤマ『歴史の終わり』)ほどの豊かさを享受《きょうじゅ》していた。

中国人はそんな白人に仕え、儲けのおこぼれに与《あずか》っていた。どころかマレーでも仏印でも阿片を商って白人より儲けていた。

その英国と日本が戦争になると、中国人はいったんは英軍につくが、負けが見えると軍服を脱いで逃げてしまった。

ハーグ陸戦規定では便衣兵はスパイ扱いで即処刑していい。しかし日本軍は多くを許し、おかげで李光耀《リークアンユー》も生き残れた。

徳富蘇峰《とくとみそほう》はマレーで見せた中国人の怯懦《きょうだ》が文禄《ぶんろく》慶長の役でも見られたと語っている。

あのとき明軍は日本軍と大きな戦を5度もやったが、すべてに負けて逃げた。

とくに中国人が怖がったのは彼らが持つ鋳鉄製の剣ごとぶった斬る日本刀だった。

だから日本勢を見ると一目散に逃げたものだが日本人の首には褒賞が出ていた。で、そこらの朝鮮人の首を刎ねて持ち帰り「ハイ日本人のクビある」と申告して恩賞を得ていた。

怯懦だけど嘘は厭《いと》わない。そんな民族性だから尖閣《せんかく》に海底油田があると聞けば周恩来は急ぎ地図に「釣魚島」と書き込み、習近平はそれをかざして「大昔から中国の核心的利益」と言って少しも恥じない。

国父・孫文もその辺は同じだ。彼は「満洲王朝の植民地のままでいたくない。中国人（漢人）の国を再興したい」と日本に金をたかった。

なんかの拍子で辛亥《しんがい》革命が成ると彼は「漢民族を中核にチベット、満洲、イスラムの民を同化して中華民族とする」（宮脇淳子）と言い出した。満洲族の奴隷だった漢民族が満洲王朝の版図をそっくり継承するというのだ。

ただ、そんな大風呂敷《おおぶろしき》も当時の白人国家には都合がよかった。ポーツマス条約で日本が「中華民族の領土の一部、満洲」に「核心的利益」をもっていたからだ。

日本が煙たくなってきた白人国家は「孫文の嘘」を支持することで日本の満洲権益に因縁をつけた。その上で、中国人の反日感情を煽《あお》り、ついには日本を中国との戦争に引きずり込むことに成功した。

蔣介石は満洲、モンゴルを含む清朝の版図を丸ごと手にしたのに抗日戦争引き受け料ももらった。中国軍は米独の軍事顧問に預けられ、ドイツ軍のヘルメットを被《かぶ》り、米国製の飛行機に乗って日本と戦った。

中国は孫文の嘘のおかげで戦後、五大戦勝国の一つに成り上がり、国連安保理常任理事国のポストも得た。

今、例えば李克強《りこくきょう》如《ごと》きでもカネさえ積めばエリザベス女王に謁見《えっけん》できるようになった。

中国は揺るがぬ大国と公認されたのかと思っていたら、先日のノルマンディ上陸70周年式典には呼ばれなかった。

「米国の手先で戦っただけの中国を呼ぶなら同じく米国のために戦ったフィリピン兵も、英国のために戦ったインド兵も、フランス解放のためノルマンディに上陸したアルジェリア兵も呼ばねばならない」という裏話も聞く。

今回の式典には独、伊も出ていて連合国、枢軸国《すうじくこく》の区別もない。平たく言えば「白人国家が世界の支配権を取り戻したお祝い」がその趣旨だ。だから白人国家だけが集った。

孫文も大した詐話師《さわし》だが、そんな中国人の性格に付け込んで日本を潰させ、自分たちの世界を取り戻した白人たちはもっとやり手ということになる。

（二〇一四年七月二十四日号）

反日に利用された李香蘭

満鉄で中国語を教えていた山口先生のお嬢さんは日本人離れした可愛らしさが評判で、歌も飛び切りうまかった。

彼女は第二次上海事変のあった昭和12年に北京のミッションスクールを卒業して満洲映画協会から女優デビューした。17歳だった。芸名は李香蘭。流暢《りゅうちょう》な中国語を操る彼女を日本人ですら中国人と思って疑わなかった。

美貌《びぼう》と透き通る美声で彼女はたちまち中国一の人気女優の座を得る。

昭和16年春には日本で公演もした。ファンが彼女の出演する日劇に殺到し、その行列は当時の円い劇場を七回り半もしたという伝説が残っている。

昭和18年、山本五十六の戦死、アッツ島の玉砕も聞こえてくる中で、植民地だったビルマ、フィリピンが相次いで独立を宣言。11月には中国・汪兆銘政権やタイの代表も加わって東京で大東亜会議が開かれ、アジアの白人支配終焉《しゅうえん》を謳《うた》った。

その年、彼女の「萬世流芳」（中華電影）が封切られ、彼女の歌う主題歌とともに中国の主要都市で空前のヒット作となった。

昭和20年6月、本土がB29の空襲に喘《あえ》ぐ中、上海のグランド劇場は李香蘭が歌う「夜来香《イエライシャン》」を聞くために詰めかけた中国市民で大入り満員を続けた。

そうやって彼らが彼女の歌に酔える安寧と秩序は日本がもたらしたものだった。

しかしその2か月後に訪れた戦争の結末は、アジアを裏切って白人国家についた蔣介石の勝利に終わった。

李香蘭の世界も暗転する。25歳の彼女は「日本との友好を語った」漢奸《かんかん》として北京の法廷に立たされた。

しかし日本から取り寄せた戸籍謄本《とうほん》で佐賀県武雄を本籍とする日本人と分かって解放された。

上海の邦字紙は蔣介石の命令で統合され、「改造日報」の名で日本人コミュニティの情報や八路《パーロ》の動向を伝えていた。

同紙の記者村上馨は黄浦江の埠頭《ふとう》で引き揚げ船を待つ邦人を取材中、独り離れて佇む李香蘭を見つけた。

「声をかけたら一瞬怯えの表情を見せた。舞台で見たこともない顔だった」

「これで国に帰れる。よかったですねと労《ねぎら》ったらやっといつもの笑顔を見せた」

村上は社に戻ってそれを記事にした。「李香蘭が今日、帰国する」と。

翌日、新聞が出たあと李香蘭が「中国官憲に引き揚げ船から引き出され、勾留された」という知らせがあった。昭和21年2月28日のことだった。

彼女の手記には「女性の出入国管理官が目ざとく見つけた」とあるが、すでに北京の法廷が「彼女は日本人」と証明している。今さら上海の小役人が嘴《くちばし》を挟む余地はなかったはずだ。

おそらく改造日報を読んだ俄《にわか》戦勝国の中国人官吏が半分嫌がらせ、半分は何がしかの金をたかろうと思っての対応だったと思われる。それが中国人だ。

実際、彼女は短い勾留だけで釈放され、すぐに帰国できたが、村上記者は70年経《た》った今も自分の筆が彼女を苦しめたという思いが去らないという。

その李香蘭の亡者記事が先日、各紙に載った。

その4日前、吉田清治の嘘と吉田調書の捻《ね》じ曲げで日本を貶《おとし》めてきたことを詫《わ》びた朝日新聞も彼女の評伝を永井靖二記者が書いていた。

親しかった川島芳子も名付け親の李際春も漢奸として殺された。そんな中で彼女は生きるために語らされた言葉がある。

「あの戦争は馬鹿な戦争だった」「日本は中国で本当に罪深いことをした」

この愚かな記者はそんな言葉だけを並べて彼女をして日本を貶めさせた。

朝日新聞は、こんな末端の記者に至るまでいまだに反日に染まったまま。自分の見たい歴史しか見ずに記事を書いている。

同じ日、産経新聞は山本秀也がこう書いた。

「李香蘭は去った。その死を報じた中国メディアは彼女を旧上海の七大歌后と呼び『夜来香』に歌い継がれる名曲の名を与えた。時空を超えた彼女への評価として記憶すべきだろう」

因《ちな》みに山本は次期北京総局長だが、北京はこの1年半、ビザを出していない。

それでも記事はきちんと書く。

（二〇一四年十月十六日号）

満洲を最貧の地にしたのは誰だ

満洲帝国があったころの満洲は輝いていた。

ここはもともと清王朝を建てた満洲族の聖地で、猥雑《わいざつ》な中国人などは立ち入りすら許されなかった。

「箸を立てておけば木になる」と言われる肥沃《ひよく》な大地はまた石炭、石油などの地下資源にも恵まれた文字通りの豊穣《ほうじょう》の地だった。

しかし清が日本に負けて威光が薄れるとすぐ中国人がどやどや入り込んできた。

北からは亡命ユダヤ人が、さらにレーニンの革命後は白系ロシア人も万単位で流れ込んできた。

日本はそこを中国人に蚕食させることに責任を感じていた。満洲族を復興させ、中国人にマナーを教え、できれば五族協和の楽土にできないだろうかと。

それで甘粕《あまかす》正彦と男装の麗人川島芳子が天津《てんしん》に幽閉されていた清朝最後の皇帝、溥儀《ふぎ》と夫人婉容《えんよう》を脱出させて、昭和7年、満洲国が成立した。

北辺の孫呉《そんご》には巨大な火力発電所がつくられ、首都新京（現在の吉林省長春）や哈爾浜《ハルビン》など主要都市は広い街路を縦横に廻らせ、上下水道を整え、寒い冬のために都市集中暖房まで行き渡らせた。交通インフラも地上の満鉄に対応して満洲全域と日本、中国とを結ぶ満洲航空も発足させた。

文化面も力を入れた。李香蘭を育てた満洲映画協会が開かれ、哈爾浜にはオペラハウスが置かれ、演奏者のほとんどが亡命白系ロシア人のハルビン交響楽団がそこで演奏会を開いた。

世界的な音楽家も招かれた。ユダヤ系のピアニスト、レオ・シロタの演奏をここで聞いた山田耕筰が感激して日本に招き、彼は終戦の日まで日本人奏者の育成に努めている。

小学生のころ新京から引き揚げてきたという戦跡の旅仲間、滝沢はるみは「郷里に帰る汽車の窓から天秤棒《てんびんぼう》で肥担桶《こえたご》をかつぐ人が見えた。日本にも中国人がいるのかと思って驚いた」「それが日本人のお百姓さんと聞いてもっと驚いた」と語る。

日本がつくった高雄の街並みにこちらが驚くように、彼女も逆の意味で日本の景色に驚いたということだ。

それほど近代化された都市と生活基盤をもつ満洲国があの短時日にどうして創り上げられたか。

TBSの「サンデーモーニング」で見識の欠片《かけら》もない岸井成格《しげただ》があれは阿片密売でつくったと言ったが、それはかなり意図的な嘘だ。

満洲国もまた台湾経営と同じ。日本政府の資金と投資によって生まれたが、終戦の年、この近代国家のすべての景色が消えた。

日本降伏を前に150万ソ連軍が攻め込み、「戦争とは強姦と略奪と殺戮だ」ということを初めて日本人に見せつけ、生き残った兵士57万人を奴隷として連れ去った。

彼らの略奪は徹底していて満航の輸送機から孫呉の発電所の発電機まで持ち去った。

ソ連軍の後に中国軍が入り込み、残ったものすべてを持ち去った。

遠藤誉『卡子《チャーズ》』には新京を占領した共産軍の姿が描かれている。

「八路軍の衛生兵30人がやってきた。みなぼろぼろの服を着ていた。彼らを2階に上げて食事をだし、客用の緞子《どんす》の布団《ふとん》を敷いた。我々は地下室で寝た」

「出発の朝、2階から降りてきた彼らを見て驚いた。ボロを脱いで家族の衣服に勝手に着替えていた。彼らは玄関の下駄箱を開け上等の靴に履き替えて出て行った。2階に上がると姉の琴は引き裂かれ、台所の缶詰はみな奪われていた。そして緞子の布団の上にはすべて大便がしてあった」

集中暖房のあった近代都市は彼らの糞便《ふんべん》にまみれて消え去った。今の満洲は東北地方と名も改め、中国の中にあって最貧の地域に落ち込んでいる。

朝日新聞は「もう必要ない」と誰もが思っている経済大国中国へのODAについて東大教授、高原明生に存続か否《いな》かを聞いた。

彼は「東北地方の貧困と劣悪な衛生は万人が認める。ここにODAを出せばいい」と言った。かつてそこがどうだったかもこの愚かな学者は知らない。

そんなお粗末な知識でも朝日の望むコメントは知っている。そういう手合いは結構、いる。朝日が招集した吉田清治検証の第三者委員会にぞろぞろ並んでいるじゃないか。

（二〇一四年十月三十日号）

日中もし戦わば……

サミュエル・ハンティントンは『文明の衝突』の中で、キリスト教文化圏とかイスラム圏とか世界をいくつかの文化圏に分けていって、初めて日本を独立した文化圏と認めた。

正確にいうと「独立」というより「他の社会と共通の文化を持たない」「キリスト教や共産主義などのイデオロギーも共有しない孤立国」としている。

彼はまた日本が中国文化圏と別れたのは紀元1世紀くらいと言っている。

それでも例えばトインビーのころの評価よりははるかにましだ。トインビーは「日本は中国文化圏の傍流の一つで、成立は大化の改新ごろ」としている。

まだ中国のへその緒がついている。黄色人の文化など一緒くたでいいという横柄《おうへい》さが滲《にじ》む。

トインビーの〝認定〟もあって文化は「中国から朝鮮経由日本」でやってきたという
アホな図式ができて、朝鮮半島の人々が偉そうにする根拠を生んだ。

大体、中国が大層な文化を持っていたとか、四大文明発祥の地とかいうこと自体かなり怪しい。

あれは戊戌《ぼじゅつ》の政変で亡命してきた梁啓超《りょうけいちょう》に日本人が、そう落ち込むな、お前らには大した文化があったと励ましのつもりで黄河文明のことを話してやった。

それで梁は満洲族の奴隷になっている漢民族を鼓舞するために「わが民族はエジプトやメソポタミアなどに並ぶ文明を持っていた」とぶった。「もっと自覚を持て」と。

ユダヤ民族がバビロンの奴隷にされたとき民族意識を持たせるために「神に選ばれた民」とする旧約聖書を編んだ。梁の一文もまた漢民族にとっての聖書みたいなものになった。尤も殷《いん》、周とかの鉄器文化は西方騎馬民族文化の影響が濃い。外からきた征服王朝の文化といわれる。実際、漢民族の王朝が建った途端、文化は急にみすぼらしくなる。

中国の絢爛《けんらん》の文化が咲き誇った唐も清も、みな異民族の王朝だった。

おまけにアステカやインカなど中国よりもっと古く、もっと知性高い文化がいくつも存在することが判《わか》ってきた。

マヤの天文学は現代の知識でも解けていない。

こうみると中国にはもともと文化はなかった、あったとしてもトップ4などお笑い種《ぐさ》が正解ということになる。

ハンティントンはそこまでは言い切らなかったが、それゆえに周辺にまともな文化がないところにできた日本文化の独自性を認めざるを得なかったのだろう。

ただ、その後がいけない。この本の最終章では大きくなった中国がイスラム圏と組んで欧米と第三次大戦を起こすと予言する。このとき日本は「狼狽《うろた》えた挙句、中国に与《くみ》して欧米と戦う道」を選ぶ。

欧米軍はまず太平洋側から日本を攻め、一方、西側からもロシアと組んで中国を攻める。ウイグルを解放し、長城を越えて北京は焼き払われ、日本と中国は滅びる。その後のアジアは豪州が握るという展開だ。

ハンティントンもまた、なんのかんの言ってもトインビーと同じに「日本は中国とへその緒でつながっている」という判断をしたようだ。

無理もない面もある。この本が出たころは朝日新聞も慰安婦の吉田清治もまだ元気だった。朝日は慶大教授の添谷《そえや》芳秀に「文化大国中国に対し日本はそのサポーターとして二流国という選択がある」と書かせている。

外から見ればへその緒は健在に見えるし、実際、日本政府も中国にODAも技術も朝貢してお仕えしていた。

しかし大きくなった中国は日系企業を焼き打ちし、尖閣も小笠原の赤珊瑚《あかさんご》も取りにきた。日本人は今ごろになって心の底から文化の違いを知った。

いま日本人の8割は中国を嫌悪《けんお》する。その辺を読んだ仏ジャーナリスト、クロード・ルブランが「第三次大戦は敵対する日中の衝突から始まる」という小説を書いた。

この本を朝日新聞にでかでか紹介したのが中国万歳を叫んできた論説主幹の大野博人だった。

今ごろ中国の根性が判った、というわけでもなさそうで、日中がぶつからないよう「お互い模擬攻撃や挑発するような曲技飛行をしないよう」注意している。

いずれも中国が過去日本や米国に対してやってきた事例だ。

しかし安保法案が通った。日本は本気だ。中国人が技倆《ぎりょう》もないのに余計なことしたら危ないですよという中国人に向けた注意喚起としか見えない。

そんなことを日本の新聞が書くか。

（二〇一五年十月一日号）

中国でまともな商売ができると思うな

弘法大師が高野山に密教道場を開いてから今年が1200年目に当たる。

一日、南海電車からケーブルカーに乗り替え、伽藍《がらん》を巡り、奥之院を訪ねた。細道の両側には戦国の英雄たちの墓標が並んで、さながら講談本の世界だった。

その日は当地で一、二を競う宿坊のお世話になった。応接間の長押《なげし》の上には骨太の見事な筆になる般若心経の額がかかっていた。落款《らっかん》は「登紀子」とあった。

聞けば、あの「日本と聞くと腐臭を覚える」とか言った加藤登紀子本人の筆だった。その筆運びを見ると彼女も何とか真人間に戻ったことが判る。

宿坊の佇まいも素晴らしかった。とくに鬱蒼《うっそう》とした森を背景に千古を香らせる庭がいい。外人には評判という足立美術館のそれとはゆかしさが違う。

宿坊もそれを意識してひところ外人客を入れましたと女将《おかみ》が語って、涙ぐんだ。外人客に中国人が交じっていた。早立ちした彼らを見送って部屋の片づけに行って「卒倒しました」。トイレの中から客室の壁、床の間の掛け軸から夜具に至るまで人糞がべっとりと擦《なす》り付けられていた。

壁を塗り替え、布団はすべて焼却して、以後、「中国人はすべてお断りしています」とのことだった。

この話は遠藤誉『卡子』の一場面を思い出させる。彼女の父は満洲の新京で製薬会社をやっていた。終戦後、八路がこの近代都市になだれ込んできた。「中国人」で、おまけに「共産党員」だ。街はたちまち破壊され、廃墟になっていった。

彼女の家にもぼろを着た八路が来て泊まっていった。翌朝、彼らは家人の服に勝手に着替え、食べ物を浚《さら》っていった。

彼らが寝た「緞子の布団は大便で汚され、姉の琴もわざわざ壊していった」。

美しいものは汚《けが》さねば気が済まない民族性による。

彼らは他にも特性をもつ。一つが残忍さだ。

日本人は日清戦争を戦って初めて彼らが捕虜を取らないことを知った。彼らは日本兵を捕らえるとまず耳鼻を削《そ》ぎ、目を抉《えぐ》り、男根を切って喉《のど》に押し込む。そして手足を切断して殺した。

通州事件では220人の日本人居留民が殺された。男は日本兵と同じやり方で殺され、女は一日犯されたあと乳房を切り落とされ、局部に棒杭《ぼうくい》を突っ込まれていた。性器損壊は漢民族の変わらぬ特性だ。

そして彼ら民族の最も顕著な特性が「嘘に身分の上下はない」ことだ。

戦後、それをやったのが周恩来。被害者は全日空の岡崎嘉平太だった。彼は上海暮らしが長かった。中国人の不実は百も承知なのに、なぜか年をとってからはずっと中国との友好に明け暮れた。

本業の全日空は事故続き。日本人は死なせても、とうとう角栄に国交を開かせた。日本の不幸を生んだ岡崎に周は「井戸を掘った人を忘れない」と言った。「落とし穴」の間違いだろう。

岡崎への褒美は1987年4月、彼の誕生日に全日空の北京乗り入れを認めてやったことぐらいだ。中国側の歓迎式はあの人民大会堂でやった。

全日空はお土産に魔法瓶をお一人様1個配ったが、若き日の薄熙来《はくきらい》ら高官は何回も列に並び直して2個も3個も持って行った。中国はそれほど貧しかった。鄧小平も騙《だま》しは得意だった。松下幸之助に泣き落としをかけ、工場進出を乞うた。ひとたび製造技術が中国に持ち込まれれば後はいつでも何でも盗れる。

彼はこのときも周恩来の蒔《ま》いた「尖閣の嘘」に水をやるのを忘れなかった。

そして3年前。尖閣に酔っ払い船長を出して騒ぎにし、松下の工場に片端から火を放った。掘った井戸はもう埋めたという意味だ。

山東省の松下の工場は危険を感じて撤退を決めた。出ていくなら身代金を払って行けと脅された。人質だったことを初めて知った。

親中国のピルズベリーは「中国は嘘つきで性悪だ」と今ごろ書いている。

松下と岡崎以外の日本人はみな中国の性悪を知っている。

特にピルズベリーの本を出版した日経は熟知している。そのくせ、ずっと「中国はとてもいい国だ」の嘘を流しては儲《もう》けてきた。

その中国も終わり。もう見捨てる時がきたと読んで、では今度は「中国の本性を書いたピルズベリーの本で儲けよう」なんて少しあくどくないか。

（二〇一五年十一月十九日号）

第四章　ウイルス禍が教えた悪辣ぶり

中国皇帝の腹の内

漢民族の国、中国は自分たちで国を建てると毎度碌《ろく》なことにならないと歴史は教えている。

彼らが建てた王朝は思ったほど多くない。最初の王朝の夏は実は東夷が作り、次の殷は北狄《ほくてき》が、周も秦《しん》もペルシャ系の西戎《せいじゅう》の国だった。

紛れもない漢族の国は漢が最初だが、その威光は大したことなかった。

長城の向こうには怖い匈奴がいて、食糧を貢《みつ》げと要求した。漢は言われるまま。ついには絶世の美女の王昭君まで貢いで王朝の延命を図った。

漢民族の文化もひどかった。豪快な周の鉄器や秦の工芸の緻密《ちみつ》さは影をひそめ、陶器も何もみな小ぶりで華やかさもまたごくささやかだった。

内政もお粗末で、カネに困ってついには官位まで金で売った。

みな争って大金を積んで役職を得ると、その元手を取り戻すために任地で過酷な税を民に課した。

民は食い扶持まで持っていかれ、かくて黄巾《こうきん》の乱が起きて漢は滅んだ。

そのあとは劉備《りゅうび》の出る三国志の時代に入るが、漢族同士だからただひたすらに争い続けた。

400年間、乱れ続けた漢族の地をまとめたのは外から来た鮮卑で、まず隋の煬帝《ようだい》が大運河をつくり、絢爛の唐文化が続いた。

この時代、ササン朝ペルシャの亡命貴族も長安にきて胡姫の舞うペルシャダンスを李白も愛《め》でている。民は伝説でしか知らなかった鼓腹撃壌《こふくげきじょう》を初めて知った。

それから数世紀、民は再び漢族の王朝、明を迎える。初代は禿頭《とくとう》の乞食坊主、朱元璋《しゅげんしょう》。典型的な漢族で、つまり猜疑心《さいぎしん》が強く、残忍で尊大とくる。

彼は「禿」とか「僧」とかの字を書いた者は己を侮辱したとして首を切った。世にいう「文字《もんじ》の獄《ごく》」だ。

三代目の永楽帝は身内を殺して帝位を簒奪《さんだつ》した。方孝孺《ほうこうじゅ》がその非を咎《とが》めると、彼の父方眷属《けんぞく》800人、母方眷属800人を殺して翻意を迫った。それでも頷かないと今度は夫人の眷属を殺し、最後に彼の弟子とその家族も殺している。

明の最後の皇帝崇禎《すうてい》は肉を削《そ》ぎ取って時間をかけて殺す凌遅《りょうち》刑が大好きで、自分の側近までこの残酷刑に処した。

その中には北辺を脅かす満洲族を蹴散《けち》らしてきた「明代の諸葛孔明《しょかつこうめい》」袁崇煥《えんすうかん》もいた。彼の処刑で満洲族は抵抗も受けずに山海関を抜け北京に入った。民は進駐する彼らを歓呼して迎えた。それほど漢族王朝は嫌われていた。

そして民の期待したように外来の満洲王朝ははるかにましな政治を行い、景徳鎮をよみがえらせ、「翡翠《ひすい》の白菜」に始まる華やかな文化を咲き誇らせた。

魏志倭人伝《ぎしわじんでん》に卑弥呼《ひみこ》の話がある。女王の下で国よく治まる。卑弥呼の没後、男の王が立つが、国乱れる。卑弥呼の姪《めい》が立って、国は再びよく治まったとある。

日本は女が統《す》べればうまく治まると。

それと同じで漢族の国も漢族自身が仕切ると「国は大いに乱れ、民は塗炭の苦しみを味わう」のが常だが、外来王朝が支配すれば「国よく治まり、文化も熟す」のが形になっていた。

その中国は今、何の因果か4度目の漢族の王朝、中共が支配する。目下の皇帝は習近平といい、状況は明代に似る。財政は破綻し、頼みの米資本は逃げ、空気も水も汚染され、株は暴落している。

2億の食えない民工《みんこう》は都市に蝟集《いしゅう》し、新興宗教に走る。不穏は地方に伝染して処々に暴動を聞く。

朱元璋に似る習近平は苛立つ。彼の批判書を売る香港の本屋を捕らえ、在米の批評家「北風」の家族を獄に繋《つな》いだ。罪は類に及ぶ。方孝孺の現代版だ。

新華社は習近平を最後の指導者と書いた。歴史通りなら彼は崇禎帝と同じに槐《えんじゅ》で首をくくり、外国勢が市民の歓呼に迎えられて新王朝を建てることになる。

そうなれば民は再び鼓腹撃壌の幸せを摑める。めでたしめでたしだが、ではどの国がこの漢族の国を治めるのか。

性根の似た米国が統治するのか。ロシアが引き受けて圧政を敷くのか。

中国の民は30万も大虐殺したとか言われる強い日本を望んでいるようだが、それはお断りしたい。

（二〇一六年四月二十一日号）

ドルチェ&ガッバーナの中国人観は正しい

ノルウェーの主要エアラインの一つブローテン航空がテレビCMを作った。タイトルは「日本人」。

北欧ではポピュラーなデザート菓子レフセをスチュワーデスが日本人乗客にサーブした。バタークリームを挟んだ薄皮パンと思えばいい。

それを日本人乗客がお絞りと間違えパンを開いて顔を拭いた。クリームが顔中にべったり。周囲の乗客に冷笑が広がる。

同じ客がまたブローテン航空に搭乗する。スチュワーデスがお絞りを差し出すと「お腹がいっぱい」のゼスチャーで断る。

まともに英語も話せない、菓子とお絞りの区別もつかない日本人を笑いものにする。

このＣＭがノルウェーで大受けし、カンヌで開かれた国際広告祭ＣＭ部門に出品された。電通の田中さんら世界の大手広告代理店代表が審査し、このＣＭに一同大笑いした。全員一致で、つまり田中さんも含めて金賞授与を決めた。

民族をステレオタイプ化し誹謗《ひぼう》、あるいは笑いものにするのは、明白で陰険な人種差別行為だ。よくこんなＣＭを作ったものだ。

ＣＭを作ったノルウェー人には明らかに白人の優越意識と有色人種、日本人への蔑視意識がある。笑いには邪《よこしま》さがあった。

電通の田中さんはその辺を審査員に忠告すべきだった。

それに日本人がお絞りに疎いという設定も誤りだと指摘すべきだった。

なぜならお絞りは優れて日本の文化だ。

ノルウェー人がまだ手摑みでモノを食いテーブルクロスで手と口を拭っていたころ、国際線にデビューした日本航空が初めてお絞りをサービスに取り入れた。

世界はその清涼感に驚愕し、どのエアラインも競って導入していった。

辺境を飛ぶブローテン航空がお絞りを知るまでにはずいぶん時間がかかったと思う。北欧の蕃人が初めてそれに触れたときは衝撃だったに違いない。だからこんなＣＭを思いついたのだろう。

ただ抜き難い白人優勢意識がある。「野蛮な日本人はまだお絞りを知らない」という設定を思いついた。

ノルウェー人はひたすら無知が過ぎ、同時に日本人への侮蔑が過ぎた。

しかし田中さんはそれを指摘しなかった。

彼は帰国子女の一人だ。英語も話せ、自分は日本人を超えた準白人くらいの意識で、だから白人に媚び、彼らの振舞いに倣った。

この話は朝日新聞に載った。「こんな日本人、侮辱か現実か」の見出しで、記事は博報堂など「日本人関係者がおかしいと息巻く」一幕があったとちらり伝えるが、残りすべてが逆の見方で占められた。

朝日新聞は某広告代理店代表に「海外で団体行動したり、あたり構わず写真を撮ったりする日本人が多い。外国人の目に映る事実として受け止めるべきだ」と語らせる。

嘘っぱちでも日本人蔑視が過ぎても「他の国民性をユーモラスに取り上げるCMは海外では珍しくない」と、全日本シーエム放送連盟（ＡＣＣ）にも語らせる。

他人種をステレオタイプ化して笑いものにするのは「世界の潮流」だとも言い切って

日本人は馬鹿にされても怒るなと朝日は結論する。

イタリアの超高級ブランド、ドルチェ＆ガッバーナが、中国人の女に箸でピザを食わせるというＣＭを作って流した。

ブローテン航空のＣＭと違って見ていて何の違和感もなかった。

しかし中国人は怒った。ステファノ・ガッバーナに抗議したら「中国人は無知で臭くて汚らしいマフィア」と言い返された。

これも頷ける。銀座の真ん中で子供にウ〇チをさせる。川口市の中国人団地ではゴミは窓から投げ捨てている。

中国人三人がレストランに入れば店内はＪＲのガード下並みの喧騒になる。

ドルガバが中国人を「微笑するだけの静かな中国人」として描いたのはむしろ好意的とすら受け取れる。

朝日もてっきり「中国人は外国人の目に映る事実として素直に受け止めるべきだ」と言うのかと思った。

でも全然違った。文化面に特集まで組んで「現実とかけ離れた差別表現」と中国人の肩を持って、中国人が「怒り狂っても当然」と全面支持する。

その温かい眼差しをたまには日本人に向けてみたらどうか。

（二〇一八年十二月二十七日号）

これでもまだ中国と関わりますか

パブリックスクールからケンブリッジに進んだいいとこの坊ちゃんキム・フィルビーは何が不満だったのか共産主義にかぶれ、ソ連のスパイを買って出た。

大学を出るとタイムズ紙の記者の肩書でスペイン内戦に飛び込み、フランコ将軍の暗殺計画をモスクワに上申した。

これは不発に終わったものの、このときキムをスパイと見抜いた他社の記者を戦闘に巻き込まれた風を装って殺害している。

帰国後は英諜報部ＭＩ６に入り、何と対ソ連諜報網を担当する。

ソ連にとっては実に貴重なスパイで、キムの通報によってポーランド人のスパイ組織もアルバニア人の反共組織も皆殺しにできた。

英諜報機関の真ん中に鎮座していたソ連スパイ。その化けの皮は実に30年後の1963年にやっと剝がされることになる。

尋問を受けた彼はその夜、ソ連に亡命してフルシチョフからKGB顧問という働き口を与えられた。

しかしキムがあれほど憧《あこが》れたソ連の現実はただ貧しく、うらぶれていた。百貨店グムにはハロッズに並ぶような品は何一つ置かれていなかった。

英国上流階級育ちの彼には相当応えたようで臨終の言葉は「もっとウースターソースを」だった。

彼がスペインで初めて殺しをやったころ、同じようにソ連に憧れた演出家の杉本良吉と女優の岡田嘉子《よしこ》が北樺太との国境線を越えた。

しかしそこは常識の欠片もない共産主義国家だった。二人はスパイ容疑で捕まる。

岡田はオランダ人の血が8分の1入ったエキゾチックな美貌が売りだったが、偏屈な社会主義者の父に似て性格も素行も悪かった。

痛いのも嫌いで、拷問されると「はいスパイです」と素直に応じて、連れの杉本についても「はいスパイです」と認めた。

一面識もないロシア人演出家メイエルホリドも問われるままスパイだと言っている。彼女の自白で杉本とメイエルホリドは拷問の末に銃殺された。彼女もまた10年の刑を宣告され、女日照りのあちこちの刑務所に回された。なんであんな国に憧れたのか。彼女もキム・フィルビーと同じ自問を何度も何度も繰り返したことだろう。

ただキムは祖国にウースターソースを送ってとは哀願しなかった。岡田もまた祖国に助け出してとは言わなかった。

二人とも己の不明をひっそり恥じた。岡田は後に帰国を果たしたものの、ここで安楽に暮らす資格はないと思ったのか、嫌な思い出しかないソ連に戻っていった。潔《いさぎよ》かった。

中国人は狡い。

毛沢東が日本軍から押収した催涙弾が使い切れなかった。

それで使い残した化学兵器を「日本軍が遺棄した」ことにして日本政府に処理費の1兆円を出させた。

そんな汚いカネでもフジタが飛びついた。社員四人が遺棄処理地の視察のために現地に行ったら、スパイ容疑で拘束された。

その直前に尖閣で中国の漁船が巡視船に体当たりして船長が捕まっていた。フジタの社員はその報復で捕まった。その証拠に船長は19日間、勾留されたがフジタの社員もきっちり19日後に解き放たれた。

ファーウェイ副会長の孟晩舟《もうばんしゅう》がカナダで逮捕されたら中国は即座に在中国カナダ人十三人を捕まえた。

ついでに覚醒剤持ち込みで15年の刑に服していた別のカナダ人を再審にかけて死刑を宣告した。

こういう報復をまるで膝蓋腱《しつがいけん》反射みたいにやる国が中国だ。

当時の日本大使は中国かぶれの丹羽宇一郎・伊藤忠会長だ。

この人も思い込みだけで生きていて、尖閣を断固譲らない祖国日本を「おちんちん丸出しで騒ぐ餓鬼」と口を極めて非難している。

その乗りで伊藤忠は落ち目の中国中信集団に6000億円を投資したものの未曾有の赤字を出した。途端に中国は同社の男性社員を拘束した。伊藤忠が投資の残り分を引き揚げようとしたらこの社員に死刑判決を下して思い止まらせるつもりだったようだ。

共産国家がいかに碌でもないかはキムや岡田嘉子が人生をかけて証明した。

それも学ばず、まだ中国に夢を託す企業がある。
社員はその犠牲になった風に見えるがそうじゃない。そんな会社に喜んで入って中国語を嬉々として学んだ社員も十分責任がある。

（二〇一九年二月二十八日号）

米国が中国を潰しにかかる歴史の面白さ

漢民族の棲《す》み処《か》はあの万里の長城の内側と決まった風に言われる。

しかし長城自体が大したものじゃない。見掛け倒しで誰でも越えられる。

マイクロソフトが独占しているＰＣ立ち上げ用のＯＳを各社ＰＣに入れる作業中に他社のソフトを盗み見ているという疑惑があった。

いやいや我が社は部門ごとに高い仕切りをして盗めないようにしていますとビル・ゲイツが言い訳した。

新聞は「ビルの Long Wall（万里の長城）」と嗤《わら》った。境にもならないほどの意味だ。

実物の長城も似たようなもので4世紀ごろには北や西から鮮卑、羯《けつ》、匈奴らが漢人の領土にどんどん入り込んで棲み付いた。世にいう五胡《ごこ》十六国時代だ。

鮮卑とか匈奴とかは漢人が蛮夷を見下してつけたふざけた名だが、その蛮夷から見た漢人はどうだったか。

華僑の歴史に詳しい長崎大名誉教授の須山卓によると、漢人は総じて行儀がよくない。素行も悪くすぐ乱暴狼藉に至る。

よって以後、悪い者を見るとまるで漢人みたいではないかという意味で、悪漢とか痴漢とか無頼漢、大食漢と呼ぶようになったという。

習近平は「偉大なる漢民族の復興」とか言う。

偉大だったかどうかはともかく、悪漢、痴漢、無頼漢は今も説得力があるように思う。

習近平もまず鮮卑や匈奴から蔑《さげす》まれない民度を考えてほしいものだ。

ただ、そんな中国人でもあるとき、多くの若者が国をよくしよう、いい民になろうと、いいところまでいったことがある。

それは日清《にっしん》戦争のあとのことだ。

満洲民族王朝の清は日本に敗れたことの意味を真剣に考え、まず漢人の学問、四書五経をやめて、日本人がやったように洋学を志してみた。それで京師大学堂、後の北京大学を建て、海外留学を奨励した。

留学先として勧めたのが昨日の敵、日本。満洲王朝の度量の大きさが分かる。日本側もすぐに各大学が積極的に中国人留学生を受け入れた。かくて魯迅《ろじん》も周恩来も秋瑾《しゅうきん》も陳独秀《ちんどくしゅう》もと、年に1万もの若者が日本で学んだ。

彼らはそこで世界を知り、国に帰って秋瑾は女性解放運動に勤しみ、陳独秀、宋教仁は議会制民主主義を叫んだ。そして実際、それは実った。辛亥《しんがい》革命のあと中国初めての総選挙が行われ、21歳以上の男子納税者が投票し衆院596人を選んだ。議員の半分は日本留学組だった。

無頼漢でしかなかった中国人が純粋に国を憂え、燃え上がった瞬間だった。

これは奇観だった。片や欧州まで蹂躙したフビライの国、片や世界最強のロシア陸海軍を粉砕した新興国。それが互いに手を握ろうという。

「日中が提携すれば白人国家がアジアに持つ権益を危うくする」と駐北京独公使フォン・グレイルが今そこにある黄禍を伝えた。

米国も思いは同じ。日中提携を阻むにはまず日本に向かう中国人留学生の足を止めるに如《し》くはない。

それで米国は北京に清華大を建てて顎足つきで漢人の若者を米国留学に誘《いざな》った。米国が自腹を切ったワケじゃない。義和団の乱の賠償金をその費用に充てた。

反日の急先鋒となる顧維鈞《こいきん》は日露戦争のあとすぐに渡米し、以下、胡適《こてき》、董顕光《とうけんこう》、王《おう》寵恵《ちょうけい》、伍廷芳《ごていほう》が続いた。その中に11歳の宋美齢も含まれていた。

あれほど緊密に見えた日中連携は袁世凱《えんせいがい》のときに暗転した。米国に買われた袁は日本色の強い議会を解散し、燃え上がった漢人の思いに水をかけた。

一方で米外交官の指導の下、袁世凱は満洲権益の延長申請にすぎなかった対華21か条を政治問題化し、日本を中国人の敵に仕立てた。

米国はパリ会議で発言権もない中国代表に日本批判の長広舌を振るわせた。

ジャーナリスト董顕光は反日を煽り、顧維鈞と米公使ポール・ラインシュが学生を焚きつけ、それが五・四運動になった。日中の関係は米国の思惑通り１８０度転換した。

あれから１００年後、習近平は「五・四運動の核心は漢人の愛国主義」と言った。それは違う。日中反目を生み出した米外交の初勝利の日というべきだ。その米国が今は中国を潰しに掛かる。歴史の面白さだ。


（二〇一九年六月六日号）

小泉進次郎が衝いた中国ODAの実態

中国の空気は汚い。煤煙に排ガスに恐怖のPM2・5も混じる。

ただ中国人の凄いところはそんな汚れがカネにならないかと考えたことだ。

で、中国はカナダ人詐欺師「モーリス・ストロングと組んだ」と先日の産経新聞に渡辺惣樹が書いていた。

彼らは最近の異常暖冬など気候変動の原因は「濃すぎるCO_2が原因」という説をまず拡散した。

濃くなったのは「日本など先進工業国が長年排出してきたから」で、だから排出を減らせ。減らせないなら後進国からCO_2排出権を買え、と。

ただ目下、一番CO_2を出す中国は「後進国だから」責任なしとした。

で、ストロングは中国の後押しでリオ地球サミットの事務局長に就き、国連の名で詐欺話を拡散した。中国の国営ＮＧＯが手足となった。

国連に弱い日本はころり騙《だま》され、毎年１０００億円を排出権の名で中国に支払っている。

最近になってストロングの正体がバレ、生物学界からCO_2がこれ以上減ればそれを栄養とする植物が枯死すると勧告も出た。

旗色が悪くなった中国は気候変動少女グレタ・ツュンベリを担ぎ出してみたが、効果はどうか。

この手の国際詐欺が同じ１９９０年代にもう一件あった。詐欺師はクレア・ショート英国際開発庁長官。被害者はこれもまた日本だった。

舞台は当時ＨＩＶが猖獗《しょうけつ》を極めていたサハラ以南の国々。患者はいい医療を求めて英仏など旧宗主国に続々とやってきた。

英仏の社会医療費はパンクする。ＨＩＶ難民を追い出したいが、それでは人でなしに見える。

クレアは考えた。どうだろう、先進国がサハラ以南諸国に出している有償援助債権をチャラにしたら。貧しい国々は返すはずのカネで地元に病院を建てればいい。もう英国に行く苦労もなくなる。

美しい話だが、ただ英国の同地域に対する援助額はゼロ。最大の援助国は日本で1兆ドルも出していた。チャラにするなら日本に頭を下げるところだが、彼女は逆に「日本の援助はヒモ付きで、最貧国を食い物にする無慈悲な恐竜だ」と言い放った。

日本の名誉のために言えばヒモ付きは医療など専門分野で、日本人医師が現地に行って指導に当たっている。それも総額の1割程度でしかない。

はっきり言って言いがかりだが、それは英国が支援するNGO「ジュビリー2000」によって拡散された。日本では東京カソリック教会と朝日新聞が「弱者に寄り添え」とかクレアの嘘を振りまいた。

結局、日本は2003年から10年間に償還期限を迎える有償援助など総額6兆円を放棄し、同時にいわゆるヒモ付き援助の廃止も決めた。

一方の英国は日本の放棄した債権で現地に病院を建設し、弱者に寄り添う旧宗主国の役割を演じ、医療難民も防げた。

弱者に寄り添うといえば日本には小泉進次郎がいる。

環境相になるとすぐ福島漁民に寄り添って「無害であってもトリチウムは流さない」とやった。

漁民は漁業権を国からタダで貰っている。それを打ち切るか買い上げる手もあるが。そういう角が立つことはようやらない。

おまけにＣＯＰ25では気候変動ＮＧＯが化石賞を日本に出して侮辱した。彼らの雇い主の中国の方が「受賞者に最も相応《ふさわ》しい」くらい言えなかったのか。

何をやってもダメ進次郎が先日、ベトナムへの火力発電所建設援助問題で珍しくいい指摘をした。

CO_2を出す火力発電の輸出など許さんといい子ぶった発言だったが、その火力発電所建設工事を受注したのが「何でみな中国なのか」と素朴な疑問を口にした。

実は日本がヒモ付きをやめたあと、毎年1兆円近いＯＤＡはほとんど中国企業が受注してきた。

中国には何兆円ものＯＤＡをやり、CO_2排出権も買ってきた。その上に日本のカネで中国人が海外に出かけ援助を実行していた。

中国の繁栄は日本の愚かさの上に咲いていた。

中国はもう沢山だ。進次郎がやっと気付いた事実を嚙みしめ、ヒモ付きを復活し、CO_2を出さない原発を甦らすがいい。そうすればもうだれも進次郎をお馬鹿さんとは言わない。

（二〇二〇年二月二十日号）

「コロナ元凶」中国人女性研究者の言い分

武漢で生まれた新型コロナウイルスは本当にフルモデルチェンジした新型らしい。旧型は二昔前に流行ったＳＡＲＳのウイルスで、蝙蝠《こうもり》から麝香猫《じゃこうねこ》経由でヒトに感染した。ヒトからヒトへは飛沫感染か患者の糞便からの経口感染だった。

多くの死者が出た香港では後者の「糞便の経口感染」と判明している。

その例として香港の高層マンションの上の方に住んでいたＳＡＲＳスプレッダーが挙げられた。

彼はそこから糞便を空に撒いたわけではなく、ちゃんとトイレで流した。

ただその下水管から糞便の一部が換気ダクトを通してマンションの外に放出された。

結果、そこから風下のマンションのベランダなどで涼んでいる人に飛沫が吹きつけられた。患者の発生点を地図に書き込んだら綺麗な扇形になったという。

武漢肺炎のウイルスはＳＡＲＳのそれに似る。だから当初は武漢海鮮市場で売られる蝙蝠か穿山甲《せんざんこう》から感染したと思われた。

ただＳＡＲＳとは症状が異なる。感染力も強い。それで新型と認定された。

新型の特徴はウイルスの突起がヒト細胞へ取りつく手口にあった。それがＨＩＶのそれとそっくりで、そのＤＮＡ配列もそっくりだった。

俄かにエイズ治療薬が使われ出したのはそういう理由からだ。

もっと不可思議な点もある。例えば広州では「治った患者の14パーセントが再発した」と報告があった。

大阪の在日中国人も完治退院後、再発している。

ヒトは病気が治れば同じ病には罹らない。それが病原菌でもウイルスでもその抗体が体内にできるからだ。医学界の常識だ。

それで治った人の血漿《けっしょう》を使うとかの免疫、抗体療法が確立されていた。

それが武漢ウイルスには通用しなかった。

自然界では起きないことが起きたら「人の手で作られた生物兵器の類い」という疑念

が湧いてくる。

人工なら、あり得ない再感染もフォルクスワーゲン方式を取ればあり得る。ワーゲンは排出ガス検査時に排ガスを抑えて「正常の値」を示すようチップにプログラムされていた。それをヒントに、中国人研究者が検査時には治ってもいないのに陽性反応を抑えるよう小細工したウイルスを作ったという推理だ。

で、まずデリー大の医学者が「誰かがコロナウイルスとＨＩＶを混ぜ込んだ」可能性を指摘した。

「誰か」とは暗に武漢ウイルス研究所の「Ｐ４」研究員、石正麗《せきせいれい》を指していた。

彼女は米ノースカロライナ大でまさにコロナウイルスに別の遺伝子を組み込んだキメラウイルスを研究していた。

彼女は帰国後、「Ｐ４」でその研究を続けている。因みに「Ｐ４」は武漢海鮮市場から16キロの距離にある。

インドだけでなく身内の広州の大学の先生も別の「武漢疾病予防コントロールセンター から」として「漏出」説をとる。

彼女は怒った。

彼女のチームは問題の新型コロナウイルスが「雲南の蝙蝠のものと96パーセント一致した」と英ネイチャー誌に発表した。

今回もまた「蝙蝠からヒトへの感染だ」と主張した上でこう付言した。

「今度のコロナウイルスは大自然が人類の（野生動物を食っては喜ぶ）愚かで不文明な生活習慣に与えた罰であって私の『Ｐ４』とは一切関係ない」

「不良メディアやインド人科学者のいい加減な分析を信ずる人たちに忠告する。お前たちのその臭い口を閉じるがいい」

かなりお怒りの様子だが、彼女の言葉に少し反論したい。

麝香猫や蝙蝠や穿山甲を食ってきた「愚かで不文明な生活習慣」を持っているのは決して「人類」ではない。独り「中国人」のみがその蛮行をやってきた。

それで過去、鼠を食い散らかしてペスト菌を生み出し、欧州まで滅ぼしかけた。

前世紀にはアヒルといっしょに育てた豚を食って香港型インフルエンザを流行らせ、今世紀はすでに蝙蝠を食ってＳＡＲＳを生み出し、併せて何万人も死なせた。

今回はヒトに加えて世界経済まで殺しかけている。

中国は偉大な民族でもないし、復興に値するほど立派な過去もない。

己の愚かさを知り、国を閉じて控えているがいい。

（二〇二〇年三月十二日号）

「武漢発」で思い出すもう一つの中国の非道

中国軍の精強6万が上海の外国人租界を襲った。

1937年夏。いわゆる第二次上海事変のことだが、ただ標的は日本租界のみで隣のフランス租界には銃弾一発飛んでこなかった。

日本租界を守るのは僅かに海軍陸戦隊4000人余り。

フランス人はその一方的な戦いをビル屋上から見物していた。米独に嗾《けしか》けられた蔣介石の日本人殺戮ごっこと知っていたからだ。

いい気味と言っては何だけれど、米軍が教えた中国空軍は余りに下手くそで、何とそのフランス租界に爆弾を落とし、450人が死んだ。

別の2機もキャセイホテル前や大世界娯楽センター近くに爆弾を落として、死者は計

1500人に上った。中に反日を煽ってきた米宣教師や後の駐日大使エドウィン・ライシャワーの兄ロバートも含まれていた。

日本人殺戮戦はしかし予想に反して仕掛けた蔣介石軍が敗れて退却を始めた。彼らはこの戦いの前にも日本人220人をなぶり殺しにする通州事件を起こしていた。

度重なる暴戻《ぼうれい》は黙過できない。日本軍は追討を決め、一軍は長江を遡って逃げる中国軍を追った。

中国軍は質《たち》が悪い。九江の街では糧食を略奪したうえ井戸にペスト菌を撒き、長江の堤防を切ってから要衝武漢に逃げていった。

「日本軍は九江の惨状を見捨ててはいかない。逃げる時間が稼げる」という読みだった。実際、追及する第五師団は「井戸の浄化と市民への糧食補給に一週間以上かかった」(中島慎三郎『元兵隊の日記』)。

日本軍は黄河側からも武漢を目指した。徐州では、その緒戦で3倍の兵力を持つ中国軍を包囲粉砕して蘭封に迫った。

日本軍の進撃に戦慄する蔣介石は幅300メートルもある黄河の堤防数か所を決壊させた。

「これで日本軍の足を止められると信じた」と後に郭沫若《かくまつじゃく》が自白している。

「折からの雨期、増水せる大黄河の濁流は奔然、白波を立てて河南の大沃野を泥沼と化せり」と仲小路彰『世界戦争論』にある。

日本でいえば東京から神戸辺りまでに当たる地域を水没させ、ために「百万人が溺死し、数十万が逃げ惑い、阿鼻叫喚の巷と化せり」(同)。

惨状を見て開封《かいほう》駐屯の日本軍が大小舟艇を出して被災者の救出にあたった。それを中国軍は対岸から狙い撃ちにし、多くの日本兵が死んだ。

蔣はあくどい。この無慈悲な蛮行を「日本軍が空爆で黄河を決壊させた」と真顔で世界に発信した。

己の悪行を他人のせいにして声高に非難する。

日本は否定したが、「やっていません」はいかにも弱々しく、説得力がない。蔣介石だけが高笑いした。

この追及作戦中、河北省正定《せいてい》の教会に中国人が徒党を組んで押し入り、オランダ人神父ら七人を生きたまま焼き殺す事件が起きた。

いかにも中国人らしい手口だが、江沢民はそれを「日本軍の犯行」に作り変えた。日本嫌いのオランダの新聞は嘘と知りつつ大喜びしてそう書き立てた。

武漢発の新型コロナウイルスの元は菊頭蝙蝠《きくがしらこうもり》という。

日本や欧州にも生息するけれど中国人だけが食べてきた。それで中国人に感染し、それを中国人が世界に出かけてばらまいた。

日本では武漢で罹った中国人が成田の検疫を解熱剤でごまかして持ち込んだのが第一号になる。

ダイヤモンド・プリンセス号に「香港人」を装って乗った中国人がそれに続いて以下、さっぽろ雪まつりや和歌山の醬油問屋に来た中国人観光客が拡散を手伝った。

中国が生み、中国人が媒介したことがこれほど明らかなのに、習近平はそう思わないところがすごい。

まず中国が政治経済を握ったソロモンなど太平洋の島嶼《とうしょ》国に「日本人の入国禁止」を声高に宣言させた。

次にWHOテドロスに「中国は終息へ」と語らせる一方で日本を「最大懸念国」の一つと言わせた。

これを受けて北京市は日本人入国者に14日間の足止めを申し渡し、外交文書には「新型日本肺炎」とか、紛らわしい表記をする。

そうやっていれば黄河決壊と同じ、日本のせいにできると思っている。中国は無理して付き合ってやる国じゃない。

（二〇二〇年三月十九日号）

本書は小社刊行の「変見自在」シリーズより再録し再編集したものです。

髙山正之　Takayama Masayuki

1942年生まれ。ジャーナリスト。65年、東京都立大学卒業後、産経新聞社入社。社会部デスクを経て、テヘラン、ロサンゼルス各支局長。98年より3年間、産経新聞夕刊1面にて時事コラム「異見自在」を担当し、その辛口ぶりが評判となる。2001年から07年まで帝京大学教授。著書に変見自在シリーズ『サダム・フセインは偉かった』『スーチー女史は善人か』『ジョージ・ブッシュが日本を救った』『オバマ大統領は黒人か』『偉人リンカーンは奴隷好き』『サンデルよ、「正義」を教えよう』『日本よ、カダフィ大佐に学べ』『マッカーサーは慰安婦がお好き』『プーチンよ、悪は米国に学べ』『習近平よ、「反日」は朝日を見倣え』『朝日は今日も腹黒い』『トランプ、ウソつかない』『習近平は日本語で脅す』『韓国への絶縁状』『中国は2020年で終わる』『コロナが教えてくれた大悪党』（いずれも新潮社）、『日本人よ強かになれ』（ワック）などがある。

中国《ちゅうごく》への断交宣言《だんこうせんげん》

変見自在《へんけんじざい》セレクション

著　者　髙山正之《たかやままさゆき》
発　行　2021年12月15日

発行者　佐藤隆信
発行所　株式会社新潮社　〒162-8711　東京都新宿区矢来町71
電話　編集部　03-3266-5611
読者係　03-3266-5111
https://www.shinchosha.co.jp
装　幀　新潮社装幀室
組　版　新潮社デジタル編集支援室
印刷所　株式会社光邦
製本所　大口製本印刷株式会社

ISBN 978-4-10-305887-8 C0095
価格はカバーに表示してあります。